똑똑, 시작이 배달되었습니다.

똑똑, 시작이 배달되었습니다.

정동선

김머쓱

최혜리

유재희

박은영

데릭최

단지

해운

정지영

들어가며

시작...

"이번 프로젝트만 끝나면, 운동을 시작하겠어!"

"외롭다고 누군가에게 의존하지 않을 때, 연애를 시작하겠어!"

"보는 것과 쓰는 건 다르니 공부 먼저 하고, 글쓰기를 시작하겠어!"

익숙하지 않은가? 똑같진 않더라도 유사한 말들을 어디선가 들어 봤을 것이다. 그리고 이러한 이야기들은 대부분 타인의 입에서 보단 자신의 마음속에서 더 많이 들려온다.

운동은 진행 중인 일이 끝나갈 때쯤 새로운 일이 생겨 밀리고, 연애 는 혼자서 내가 하고 싶다고 할 수 있는 것이 아니며, 공부는 배울 것 이 너무 많아 끝이 보이질 않는다.

우린 항상 삶을 진행 중이다. 살아있는 동안 가족, 건강, 명예, 돈, 친구, 이성 등 여러 방면에서 좋은 일도 나쁜 일도 계속해서 일어난 다. 모든 것은 서로 복잡하게 연결되어 쉼 없이 진행되고, 최대한 정 리하려 노력할 뿐 완벽히 정리되진 않는다. 그렇기에 시작은 어떤 일 을 정리하고 난 후 혹은 끝낸 다음에야 할 수 있는 것이 아니다.

모든 것이 깔끔히 정리된 상태에서 시작할 수 있는 일이 있기나 할 까? 있더라도 극히 드물 것이다. 필자는 모든 시작은 칭찬받아 마땅 하단 생각을 하고 있다. 물론 타인에게 피해를 주거나 불법적인 일의 시작은 제외하고 말이다.

이 책은 9가지 작품이자 9가지의 시작이다.

누군가는 과거의 아픔이 여전히 존재하지만 시작했고, 누군가는 미래의 희망에 들떠서 시작했다.

누군가의 시작은 처음이 아니며, 누군가의 시작은 모든 것이 낯설다.

누군가는 다르다는 것을 응원받고, 누군가는 같다는 것에서 공감받는다.

모든 시작이 다르지만, 우리는 모두 시작이라고 부른다.

우린 모두가 시작했고 서로 다른 시작을 응원했기에 9명의 생각과 글이 모여 한 권의 책이 세상에 나올 수 있었다.

이 책을 읽게 될 독자분들께 전하고 싶은 말이 있다.

우리는 당신의 시작을 언제나 응원하겠다.

당신도 우리의 시작을 응원해 주길 조심스레 바라본다.

...

똑똑, 시작이 배송되었습니다.

- 공동저자 中 정동선

차 례

들어가며 · 4

정동선 21세기 용사 – 히키코모리의 일기 · 9

김머쓱 2071년까지 17,362일 남았습니다. · 33

최혜리 무성 8트랙 테이프 · 57

유재희 56.8% · 85

박은영 가슴 깊이 사랑한다 · 111

데릭최 지하철 2호선 · 137

단지 온기를 느끼고 싶어서 · 163

해운 늑대별 · 199

정지영 세상이 변해도 단어를 가다듬어야겠습니다 · 231

21세기 용사 - 히키코모리의 일기

정동선

정동선　정동선. 소설을 쓰는 배우. 생각하기를 좋아하고 즐겨한다. 백수가 되기
딱 좋은 특성이기도 하다. 생각하다 보면 우울해질 때가 더 많지만 우울
끝에 가끔 찾아지는 행복이 너무 좋다. 아직 생각을 줄일 생각은 없다.

instagram : @blocking0103

*

　오늘도 그 꿈이다.

　눈이 내린 관악산, 눈이 시뻘건 들개가 산 중턱에서 도심까지 내려온다. 들개에게 물리는 5살 남짓한 어린아이. 어린아이는 얼마 못 가 피를 흘리며 쓰러져 죽는다. 잠시 후, 아이의 시체가 식기도 전 온몸의 관절이 뒤틀리며 뼈가 줄어들고 자라나기를 반복한다. 기괴한 모습의 괴물, 마치 애니메이션에서나 나올 법한 마왕 같기도 하다. 그 마왕의 손짓 한 번에 세상은 불바다로 변한다.

　'요즘 애니메이션을 자주 봐서 그런가...' 처음엔 별생각이 없었다. 10번 넘게 꿈이 반복될 무렵엔 날짜를 확인하는 습관이 생겼고, 50번 넘게 꿈을 반복했을 땐 실제로 일어나게 되는 일이 아닐지 의심하기 시작했다. 오늘로 100번째 똑같은 꿈을 꾼다. 이젠 확신이 든다. 매우 높은 확률로 이 꿈은 무언갈 얘기해주고 있다. 어쩌면 예언의 꿈일 수도 있겠다.

　스스로에 대한 의심도 든다. 병원 갈 용기가 있었다면 당장이라도

저 방문을 열고 나갔을 것이다. 다른 사람은 내가 미쳤는지 확인해 줄 수 없다. 나 자신을 스스로 지켜보기 위해 오늘부터 일기를 쓰기로 마음먹었다.

*

눈을 뜨자마자 핸드폰으로 달력을 확인한 후 컴퓨터 본체의 전원 버튼을 누른다. 검은 모니터 화면에 비친 내 모습이 보기 싫어 시선을 옆으로 옮긴다. 모니터 빛 때문에 벽지의 문양이 눈에 들어온다. 몇 년을 나가지 않은 이 방. 적응되지 않을 것 같던 요상한 황금색 문양의 벽지도 결국 적응이 되었다. 암막 커튼으로 완벽하게 빛이 차단된 5평 정도의 네모난 공간에서 나는 눈을 감고 가만히 생각한다.

'꿈속에서 본 관악산의 모습은 눈이 빠르게 온다면 10~11월쯤으로 이제 몇 달 남지 않았다. 난 어떤 준비를 해야 할까.'

대부분 사람이 내 생각을 알게 된다면 미쳤다고 할 것이다. 물론 나 또한 처음엔 말이 안 된다고 생각했다. 100번 넘게 반복되는 생생한 꿈이 더 이상한 것 아닐까? 아무리 생각해도 그렇다. 예언의 꿈일 확률이 가장 높은 것 같다. 꿈처럼 세상에 큰 위기가 찾아온다면 난 그것을 막기 위한 선택받은 용사가 되는 것이다.

무슨 일이 일어나던 난 몇 달 안에 내가 미치지 않았다는 걸 스스로 증명해야 한다. 차라리 내가 비정상이길... 내가 정상이라면 난 세상을 구해야 한다. 할 수 있을까?

*

새벽 시간, 가족들이 잠들길 기다린다. 귀를 문과 바닥에 번갈아 가며 대보고 10초간 아무런 소리가 없는지 확인한다. 3번 정도 반복해서 확인 후 조용히 문밖으로 나와 화장실을 간다. 이번엔 10시간 정도 참은 것 같다. 들어오는 길에 부엌을 들러 라면과 각종 음식을 챙겨서 들어오는 것도 까먹어서는 안 된다.

처음엔 문 앞으로 부모님이 가져다 두신 음식이 있거나 편지가 쌓여있기도 했고, 문밖으로 "언제까지 실패자처럼 박혀서 안 나올 거야!" 하는 소리도 들려오곤 했다. 나는 실패하지 않았다. 준비가 필요했을 뿐. 준비가 된다면 언제라도 문을 열고 나갈 생각이었다. 그때 당시엔 취업을 위해 발품 파는 것보단 세상과 연결된 인터넷으로 계획을 세우는 것이 우선이라고 생각했다.

지금은 이렇게 말하고 싶다. "조금만 더 기다려 주세요. 지금 내가 미쳤는지 확인이 필요해요! 세상을 지키는 일이라고요!! 마왕이 나타나 지구가 끝장날 수도 있어요!!!" 물론 말할 순 없다. 가족들이 깨어있을 땐 방에서 나갈 생각도 없고, 어차피 무슨 말을 해도 안 들어주는데 이런 얘기를 하면 더 미친놈 취급이나 받겠지.

*

망할 꿈을 또 꿨다. 들개가 문제일까? 어린아이가 문제일까? 어린아이가 물리기 전 들개를 때려죽인다면 재앙을 막을 수 있지 않을까? 어린아이가 문제일 수도 있는데... 처음엔 둘을 못 만나게 하는 방법을 떠올렸다. 하지만 언제까지나 아이를 지킬 수도 없고, 다른 사람이 물리는 것은 괜찮다는 보장도 없다.

고민을 거듭하다 우선 들개를 죽이는 쪽으로 마음을 굳혔다. 세상의 파괴를 막기 위해 어린아이를 죽여야 한다면 세상은 그냥 멸망하는 게 나을 수도 있겠다는 생각을 해본다.

인터넷으로 들개를 죽이는 방법을 찾아보니 총, 덫, 약 등 다양한 방법들이 금방 찾아진다. 우선 총은 구할 수가 없다. 넓은 산을 약 바른 먹이나 덫 몇 개로 커버하기도 불가능하다. 아무래도 어린아이를 찾아 옆에서 지키는 것이 가장 유리할 것이다. 어떻게 지키지... 내가 들개랑 싸워서 이길 수 있을까....

*

오늘은 집에 손님이 온 모양이다. 창고 방이라 소개되는 내 방. 숨 죽인 듯 있어야 한다. 오늘의 나는 유학을 가 있나 보다. 여행에서 언제 유학이 되었는지... 그래도 괜찮다. 이것이 나와 부모님 사이 무언의 약속이다. 부모님의 체면을 해치지 않는 것, 내가 방 안에 있다는 것을 누구에게도 알리지 않는 것. 그것으로 나는 시간을 번다.

인스타 가계정에 들어가 들개를 검색해 본다. #들개, 귀여운 입양 직전의 강아지들이 많이 나온다. 내가 상대해야 할 들개는 늑대인가 보다.

잠시 핸드폰을 본다는 게 두 시간을 봤다. 세상엔 왜 이렇게 예쁜 여자들이 많은지....

나도 한때는 여자 친구가 있었다. 그래. 누군가 내 일기를 본다면 못 믿을 거 다 안다. 걔는 지금의 날 알아보지도 못하겠지. 지금 내 모습을 본다면 나를 만났었단 사실을 창피하게 생각할 것이 분명하다.

*

하루 종일 들개를 어떻게 잡을지 생각했다. 맨주먹으로 싸울 순 없으니 당연히 무기를 써야겠지? 쓰레기로 가득한 방에서 쓸만한 무기를 찾았다. 진작에 버린 줄 알았던 목검이다. 검도를 10년은 쉬었지만 조금만 하면 금방 실력이 돌아올 것이다. 흥미가 없어져 쉬었을 뿐. 오늘부터 다시 수련에 들어가야겠다.

나는 재능이 많았다. 뭐든 하면 잘했다. 어렸을 땐 수학 경시 대회에 나가 상을 받은 적도 있다. 태권도, 수영, 검도, 합기도 등 안 해본 운동이 없고 곧 잘했는데 어쩌다 이렇게 되었을까?... 사실 나도 안다. 지금의 나는 도태되어 있다. 금방이다. 조금만 노력하면 금방 따라잡을 수 있다. 지금 당장 나에게 하고 싶은 마음이 없을 뿐이다.

*

답답하다. 나도 밖으로 나가 사람들을 만나고 싶다.

*

하루 종일 검색을 해보고, 구글맵을 켜 꿈속 공간이 실제로 존재하는지 여기저기 돌아다녔다. 세상 구석구석을 어떻게 다 촬영했는지,

집 안에서 세계여행이 가능하다니 정말 놀랍다. 집 안에서 구글맵으로 여기저기 구경한 게 기억에 남는 일이라고 일기를 쓰는 내 모습이 더욱 놀랍다...

아무튼 검색의 결과로 얻은 것은 "반복되는 꿈은 인생 경험이나 성격과 관련된 것일 가능성이 높다"라는 말을 꿈 연구자 디어드레 배릿이 했다는 것과 "꿈에는 전달하려는 메시지가 있다. 그 메시지가 무엇인지 알아내는 것이 꿈의 반복을 막는 답"이라는 말을 수면 의학 전문가 알렉스 디미트리우 박사가 했다는 내용이다.

이런 꿈을 꾸는 이유는 나에게 있고, 해결책도 나에게 있다는 소리다. 지구가 진짜 멸망해도 내 탓이라는 건가....

커뮤니티에 글도 남겨보았다. 관심종자, 병원 가봐라, 미친놈 등 대부분 욕이겠지만 단 한 사람이라도 공감해 주거나 이 문제에 대해 도움받을 수 있는 답이 있길 바랐다.

댓글 알림 기능이 고장 난 것 같다. 이상하리만치 내 글에만 반응이 없다. 악플이라도 있는 게 더 좋았을까? 간단한 질문 글 하나 쓰려고 썼다 지우기를 몇 번이고 반복한 내 모습이 초라하게 느껴진다. 인터넷에서도 이런 취급이라니... 지들끼리는 서로 댓글도 잘 달아주고 놀더니만!! 욕을 한 바가지 쏟아붓고 싶다. 물론 실제로 만나면 아무 소리 못 하겠지만. 후....

*

이제는 더 이상 미룰 수 없다. 드디어 검을 잡았다. 수련 1일 차다.

으자자자!!! 파이팅!!! 가즈아~~!!!

의욕이 넘쳐난다. 무엇이든 할 수 있을 것 같은 기분이 든다.

머리치기 10회! 머리! 머리! 머리! 머리! 머리! 머리! 머리! 머리! 머리! 머리!

허리치기 10회! 허리! 허리! 허리! 허리! 허리! 허리! 허리! 허리! 허리! 허리!

손목치기 10회! 손목! 손목! 손목! 손목! 손목! 손목! 손목! 손목! 손목! 손목!

무언가 이상한 점이 느껴진다. '아?!... 개는 손이 없지!'

다시 집중해서 어디를 먼저 내려쳐야 한지 고민한다. 그 늑대만 한 들개를 어떻게 공략해야 할까? 눈이 언제 올지 모른다. 시간이 부족하기에 더욱 치밀한 전략이 필요하다.

약점은 어디일까? 머리? 몸통? 다리?

개의 상체와 하체는 어떻게 나눠야 할까? 가로로 나눠야 할까? 세로로 나눠야 할까?

반신욕을 하면 발 네 개를 다 담가야 하나? 아니면 사람처럼 앉아서 해야 하나?

의식의 흐름이 나를 방해한다. 이것이 성인 ADHD인가. 아니다. 난 그 정돈 아니다. 다시 연습을 시작해야겠다. 유튜브 딱 한 편만 보고.

*

수련 2일 차, 들개의 공격을 날렵하게 피한 후 멋지게 반격하는 상상을 한다.

먼저 침을 흘리며 미친 듯이 달려드는 들개를 대각선으로 피한다. 그 후 나를 할퀴려고 뻗은 개의 앞발을 "발목!!!" 크게 외치며 내려친다. 묵직한 타격음이 들리고 들개는 기동력과 공격수단 하나를 잃는다.

예상치 못한 반격에 당황하는 들개, 서로를 마주 보며 대치 상태를 유지한다. 다시 달려들 준비하는 들개, 시선은 들개에 고정한 채 나도 검을 고쳐잡는다.

이제 가장 중요한 순간이다. 들개가 다시 한번 달려든다. 앞발에 입은 상처로 속도가 느려져 공격 방향이 읽힌다. "머리!!!" 이번엔 공격을 피하지 않고 앞으로 나아가며 온 힘을 다해 검을 휘두른다. 정확히 들개의 머리를 가격해 무언가 터지는 듯한 엄청난 타격음이 울려 퍼진다. 쓰러지는 들개, 일격에 숨통이 끊긴 줄 알았지만, 미약한 숨소리가 들려온다. 죄스러운 마음도 들지만, 자비를 두어선 안 된다. 눈이 뒤집혀 쓰러진 들개에 다가가 확인 사살을 한다. 마지막으로 시신을 불태우고 뼛가루를 모아 뒷산에 묻어주는 상상까지! 완벽하다. 나의 승리다.

30분 정도 시간이 지났겠지? 땀이 나고 숨이 찬다. 시계를 보니 시작한 지 5분이 지났다. 후... 어젯밤에 물이라도 많이 떠 놓길 잘했다.

또 그 악몽을 꿨다. 100번 이후로도 한참을 더 꿨지만, 도저히 익숙해지지 않는다. 훈련의 영향인지 눈을 뜨니 온몸의 근육이 뭉쳤다. 오늘 안에, 침대에서 벗어날 수 있을까? 몸만 좌우로 뒤집어가며 핸드폰을 보다 방문 밑에서 못 보던 종이를 발견했다. 편지는 아닌 것 같은데 뭐지...?

한참을 더 누워있다. 어기적어기적 걸어가 집어 보니 은둔형 외톨이를 지원하는 비영리법인 단체의 팜플렛이다. 앞장엔 언제든지 연락 달라는 말과 연락처가, 뒷장엔 은둔 청년들의 단체모임 프로그램을 소개하는 내용이 적혀 있었다. 아마 부모님이 넣어 두셨겠지.

사실 난 사람이 무섭다. 누가 날 볼까 봐 커튼 한 번 걷어본 적 없는 세월이 너무 오래되었다. 만약에 용기를 내서 모임에 나갔다고 가정해 보자. 나 같은 사람들이 한자리에 모여 있다면 사람들은 우리를 더 실패자로 생각할 것이다. 두 가지 시선밖에 없다. 역하다 또는 불쌍하다.

수련 3일 차, 오늘은 쉬어야겠다. 차라리 세상이 망하는 것도 나쁘지 않을 것 같다.

온몸이 식은땀으로 젖은 채 꿈에서 깨어났다. 눈을 뜨자마자 놀란 마음을 다잡고 날짜를 확인했다. 아무리 생각해도 특별한 날은 아니다.

무슨 일인지 이번 꿈에서는 내가 항상 들개한테 물려 죽던 어린아이로 등장했다. 관찰자 입장에서 지켜만 보다 직접 겪어보니, 꿈속의 아이는 무기력으로 인해 저항을 포기했던 것이 아니었다. 심지어 조금이라도 움직여 보려 노력했다. 그럼에도 공포에 온몸이 얼어붙어 저항할 수 없었던 것이다. 어린아이의 낮은 시선에서 올려다본 들개는 외부에서 지켜보던 것과는 천지 차였다.

난 틀렸다. 어린아이가 되어 들개의 공포를 마주하고 나니 도저히 그 들개를 이길 수 있을 것 같다는 생각이 안 든다. 맞서 싸우고 싶다는 생각조차 들지 않는다. 세상을 구하기 위해선 다른 사람의 도움이 필요할 것 같다.

*

긴 시간 가만히 누워 천장의 벽지를 봤다. 어두워 잘 보이지 않지만, 똑같은 문양이 규칙적으로 반복되고 있다. 멍하니 반복되는 규칙을 바라보는 것은 꽤 재밌고 흥미롭다.

규칙 같은 이야기를 하니 몇 달 전 인터넷에서 무료 사주를 검색해 본 기억이 떠오른다. 지금 내 나이에는 안정적인 삶의 윤곽이 그려져 나간다고 적혀 있었는데... 무료라 그런가? 순 엉터리다.

운명이란 게 있을까? 없었으면 좋겠다. 내가 원래 이렇게 태어났다는 게 사실이면 더 절망적일 것 같다.

빠득 빠드득 빠득 빠드득

요즘 머릿속에서 이상한 소리가 들린다. 무의식 중에 내가 이를 가는 건가?... 나에게 무슨 문제가 생겼을 수도 있다. 의아하다.

오늘도 꿈속에서 어린아이가 되었다. 공포심을 넘어, 들개에게 물리는 고통 또한 생생하게 느껴졌다. 몸이 점점 차가워진다. 이게 죽는다는 것일까? 생각보다 나쁘지 않다. 오히려 편안한 기분마저 든다. 하지만 그 편안함도 잠시, 뼈가 줄어들고 자라나기를 반복한다. 감각이 다시 돌아왔는지 들개에게 물린 것과는 비교도 할 수 없을 정도의 고통이다. 신음을 흘리며 깨어나고, 안도의 한숨이 나온다.

왜 이젠 관찰하는 입장이 아니라 내가 어린아이로 꿈에 나오는 걸까? 꿈에 확실히 변화가 생겼다. 무언가 달라지려는 건가? 내 행동이

꿈에 영향을 주었나? 이젠 매일 밤 이렇게 고통을 느껴야 하나?

알 수 없는 변화에 지금까지 쓴 일기를 쭉 보았다. 일기를 쓴 기억이 없는 날에도 일기가 적혀 있다. 난 정상이 아니다. 도움이 필요하다. 뺨을 타고 내려와 턱 끝에 모인 눈물이 일기에 떨어진다. 의지와 상관없이 계속 눈물이 흐른다. 난 고장 난 것 같다.

*

눈을 뜨니 엉망진창이 된 내 방이 보인다. 내 세상, 내 우주, 나만의 공간, 혐오스럽고 당장에 나가고 싶지만 나를 받아주는 유일한 공간, 숨을 수 있는, 온전할 수 있는 공간

*

"하늘에 계신 우리 아버지여... 우리를 시험에 들게 하지 마옵시고, 다만 악에서 구하옵소서... 영원히 있사옵나이다. 아멘!"

문밖에서 기도 소리가 들려온다. 기도 소리가 그나마 낫다. 저번에 염불을 외는 소리는 도대체가 언제 끝나는지 미칠 것 같았다. 방문을 열고 뛰쳐나가 제발 그만 좀 하라고 소리치고 싶었다.... 어라!?!? 나름 효과적인 전략이었던 건가....

저번에 방문했던 손님도 그렇고, 부모님은 왜 계속 집에 사람을 부르는지 모르겠다. 왤까?... 왜 계속 사람들을 데리고 오는 걸까? 나의 존재를 사람들에게 들키고 싶은 마음도 있는 건가? 우린 해외여행으로 합의된 거 아니었나? 뭐지? 생각을 이어가다 '부모님이 나를 완전

히 내려놓은 건 아닐 수도 있다.'라는 결론에 도달했다.

부모님의 짐을 조만간 덜어드릴 수 있을 것 같다. 가슴 중앙이 조금 찌릿하다.

*

종교는 참 편리한 것 같다. 죽어도 그다음이 있다는 믿음으로 현 세상을 열심히 살아가게 한다. 죽음 뒤에도 무언가 있다는 상상은 힘든 현실에 버틸 힘을 준다.

용서도 마음대로 구원도 마음대로 천벌도 마음대로...

고백할 게 하나 있다. 난 확실한 방법을 알고 있다. 사실 처음부터 이 방법을 가장 먼저 생각했었다. 꿈속의 일이 실제로 일어나든 안 일어나든 모든 경우의 수를 해결할 수 있는 방법. 가장 확실한 방법, 그것은 사건이 일어나기 전 죽음으로 예언의 꿈을 멈추는 것이다.

이제 다른 방법은 못 찾겠다. 꿈이 변한 후 매일 찾아오는 고통에 힘들다. 죽는다는 것이 두렵긴 하지만 '종말을 맞이하는 방구석 폐인' 보단 '세상을 구한 히키코모리' 쪽이 더 괜찮을 것이다. 멋지게 들개를 제압해 세상을 구하는 용사가 되고 싶었지만, 아무리 노력해도 난 안 될 것 같다.

그래도 늦지 않게 결심을 내려서 다행이다. 무섭기도 하지만 안심도 된다. 나만 해결할 수 있고, 내가 해결할 것이다. 결심은 끝났다. 이제 내게 남은 일은 방 청소와 처음으로 나를 발견할 이를 위한 이발과 면도뿐이다.

*

청소를 시작했다. 쓰레기를 모을 겸 물건들을 정리하다 초등학교 졸업앨범을 찾았다. 중고등학교 앨범을 버리며 내 평생 졸업앨범은 볼 일이 없을 줄 알았는데, 초등학교 앨범을 발견하니 반갑기까지 했다.

'어디보자... 6학년 몇 반이었더라...' 단체사진을 먼저 빠르게 훑어본다. 바로 발견한 나, 6학년 1반 2번이다. 키 순서로 번호를 정했던 기억이 난다. 단체 사진 속의 나는 키가 작아 앞줄에 앉아있지만, 주위의 여자아이들과 장난도 잘 치고 나이에 맞는 매력적인 웃음도 가지고 있다. '짜~식! 웃는 것도 이쁘고, 능력이 좋네! 크면 여럿 울리겠어!! 하하... 하하하... 하하... 또르르...' 크면서 뭘 잘 못 먹었나 보다.

추억들을 뒤로 하고 페이지를 넘겨 단체 사진에서 개인 사진으로 넘어간다. 곧바로 나를 찾는다. 사진 속 아이가 내가 맞는지 의심스럽다. 햇빛을 듬뿍 받아 피어난 새싹처럼 생명력이 가득해 보인다. 장래희망란으로 초점을 옮기자, 눈가가 촉촉이 젖어 앨범이 점점 흐려진다. 젠장

*

억울하다. 유서에 처음으로 적힌 내 속마음이다.

세상을 내가 왜 구해야 하지? 내가 왜? 항상 피해받고 차별받은 건 난데? 내가 왜 나를 희생해서 세상을 구해야 해?

'상황을 알리고 나를 구하자. 방법이 있을 거야.', '아니야, 더 확실하고 좋은 방법은 없어. 네가 뭘 할 수 있는데?' 결심했다고 생각했지

만, 하루에도 수십 번씩 마음속 갈등이 일어난다.

두렵고 무섭다. 마지막이 다가오는 지금까지도 난 나약한 놈이다.

*

많은 것들을 곱씹어가며 하던 청소도 거의 끝이 보인다. 이 일기장도 곧 정리하려 한다. 누군가 일기를 본다면 내가 세상의 운명을 바꾼 특별한 존재였다는 것을 기억해 주길 바란다. 잠깐!... 아무도 이 일기장을 발견 못 하는 건 아니겠지...? 일기장이 발견되지 못한다면, 난 실패자로 소리 소문 없이 사라지는 것과 다를 게 없다.

이리저리 방법을 고민하던 중, 쓰레기를 모아둔 곳에서 은둔형 외톨이 지원 관련 팜플렛을 본 것이 떠올랐다. 체감상 긴 시간을 고민하다 연락을 남기기로 결심하곤 번호를 눌렀다. 떨린다. 역시 전화는 무리다. 문자를 보내기로 한다.

-    [일기장을 꼭 발견해 주세요.]

문자 전송 후 5분도 지나지 않아 답장이 왔다. 이게 뭐라고 긴장이 되는지 모르겠다.

-    [어떤 색상의 공책인가요? 크기는요? 스프링은 달려 있나요? 적힌 내용은요?]

-    [파란색, A4, X, 비밀]

-    [파란색 공책은 하나밖에 없나요? 헷갈릴 수 있으니, 내용 조금만 알려주세요. 절대 궁금해서 그런 거 아니에요! 저만 알고 있을게요! 진짜진짜 약속!!! 못 믿겠으면 각서라도 쓸게요!]

문자인데도 정신이 사납다. 참자... 내 일기장을 처음으로 발견할 사람일 수도 있다. 안 믿겠지만, 그래도 내용을 알아보려는 노력이 가상하다. 최소한의 내용만 적어 문자를 보낸다.

- [꿈을 통해 예언을 받았습니다. 세상이 불바다가 될 수도 있어요. 저는 그걸 막을 거고요. 그 외에도 이런저런 내용 조금 적혀 있습니다.]

- [얘기해주신 내용이 사실이라면 정말 큰 일인데요! 계획은 있으세요?]

계획을 물어볼 거라곤 생각도 못 했는데... 조금 당황스럽다. '자살'이라는 문자를 적었다 다시 지우고 '희생'으로 바꿔서 전송한다.

- [희생... 정말 큰 용기가 필요했겠어요. 세상을 구하는 사람을 위해 제가 뭔가 해드리고 싶은데, 식사라도 사드릴게요!! 마지막으로 드시고 싶으신 거 있으세요?]

용건은 끝났다. 이제 더 이상의 연락은 무시하기로 했다. 그러나 3분도 안 돼서 다시 핸드폰이 울린다. 불법 토토, 게임 이벤트 알림 외에 연락받은 게 너무 오랜만이다. 문자 내용이 뭘지 너무 궁금하다. 무시하기로 했는데 자존심이 살짝 상한다. 어떡하지...? 오?! 맞아!! 난 더 떨어질 자존심이 없지?! 휴대폰 잠금을 풀고 문자 내용을 확인한다.

- [왜 답장 안 해주세요? 거절은 거절합니다.]

...

- [제가 진짜 사드리고 싶어서 그래요. 제발요!!]

...

- 　[스테이크? 초밥? 탕수육? 아니면 떡볶이? 말만 해요!!]

계속 울리는 핸드폰, 답을 해야만 연락이 그만 올 것 같다. 답장을
툭 보낸다.

- 　[랍스터]

- 　[오! 랍스터 맛있죠ㅎㅎ 주소 알려주시면 내일 직접 배달해
드릴게요. 저랑 같이 드셔도 되고, 불편하시면 배달만 해드릴 수도 있
어요. 편하게 혼자 드셔도 돼요!]

...

　[주소 좀 보내주셔요!!]

...

- 　[주소!! 주소!! 빨리요!! 제발 진짜 제가 꼭 보내드리려고 그
래요. 못 믿으시겠으면 제 명함이랑 신상정보, 일하는 곳, 확인하실
수 있는 사이트 싹 다 보내드릴게요.]

혼자 먹고 싶다는 문자를 보낸 후 주소까지 홀린 듯이 전송해 버렸
다. 답장 보낸 것을 후회하며 잠시 멍하니 앉아있다. 이건 뭐지? 진짜
가져다주는 건가? 왜 밥을 사준다는 거지? 진짜 믿어주는 건가? 사기
치려고 그러나? 어차피 무슨 상관이야. 내일이면 전부 끝인데... 뭐든
상관없다.

*

씻는다. 마지막으로 씻는 것이라 생각하니 모든 것이 새롭다. 씻는

방법과 순서를 떠올리느라 꽤 많은 시간이 들었다. 몸에 물이 닿는 감촉도, 거울 속 내 모습도 낯설고 어색하다. 정말 오랜만에 보는 거울, 가위바위보를 해본다. 계속해서 비긴다. 다행이다. 거울 속을 뚫어져라 바라보다 꿈속의 마왕이 생각나 피식 웃는다. 지금 내 몰골을 보니 마왕과 크게 다를 것이 없다. 어깨 넘어 긴 머리를 귀밑에 맞춰 댕강 자른 후 선반 구석을 한참 동안 지켜왔던 면도기를 집어 든다. 오랜만의 면도, 긴 시간 동안 무뎌진 면도날에 오히려 피가 많이 난다. 수건으로 얼굴과 몸을 닦은 후 거울을 다시 본다. 졸업앨범 속 내 모습이 머릿속에 떠오른다. 묻고 싶다. 그때의 아이와 지금 나는 무엇이 그리 달라졌을까?

앨범도 거울도 답을 주진 않는다.

*

아무리 생각해도 일기장은 어차피 발견될 텐데 괜히 연락한 것 같다. 내 마지막 고민이 '이 사람이 진짜 랍스터를 사줄 것인가?'로 끝나는 것은 싫다. 핸드폰을 집어 문자를 보낸다.

-      [랍스터 안 사주셔도 돼요. 진짜 오실까 봐 문자 남깁니다.]
-      [에이~ 곧 출발하는데 조금만 기다려주세요. 예전엔 사형수도 마지막 식사로 먹고 싶은 걸 먹었다는데, 세상을 구할 사람이 마지막으로 먹고 싶은 건 먹어야죠! 금방 가요. 저 진짜 갑니다. 제발 기다려주세요!]

묘하게 설득력 있다. 안도감도 든다. 안도감은 왜 드는 걸까? 잠시 고민해 봤지만 모르겠다. 내가 타인에게 무언가 바라는 것이 아직도 남아 있는 걸까? 더 이상 고민하고 싶지도 않다. 끝까지 나는 나를 잘 모르겠다. 잠시 눈을 감고 생각을 비운다.

*

깜빡 잠든 사이 랍스터를 받았다. 부모님께 전달했다는 문자도 와 있다. 뭐지? 이 신선한 상황은... 장난치는건가?... 쓸데없는 말을 한 건 아니겠지?... 걱정이 드는 부분도 있지만 결과적으론 마지막 만찬이 눈앞에 준비되었다. 내가 좋아하던 유튜버는 정말 맛있게 먹던데... 일단 머어보기로 한다. 역시 뭐든 겪어봐야 안다고, 한 입 머어보니 특별히 맛있는지는 모르겠다. 상상 속에선 세상에서 제일 맛있는, 특별한 맛 일 줄 알았는데 막상 먹어보니 별거 없다.

-     [친절 정확 확실한 배달 서비스!! 어때요? 드셔보셨나요??]
먹자마자 어떻게 알았는지 귀신같이 문자가 왔다.

-     [따듯했어요.]

-     [음식이 따듯했단 거죠? 저 근데 정말 정말 궁금한 게 있는데 혹시 다른 방법 생각해 본 건 없어요?]

...

-     [먹었죠? 맛있었죠? 맛있게 먹었으면 그 정도는 알려줄 수 있잖아요. 입 싹 닦고 안 알려줄 생각인 건 아니죠?? 에이~설마!?]

...

-     [왜 답장이 없으시죠? '먹튀'라는 그 '먹고 튄다'라는 말을

제가 몸소 경험하게 될 줄이야. 아니야! 아닐 거야!! 그런 사람 아니잖아요^^ 설마....]

　놀리는 건가... 입은 웃고 있었지만 퉁명스러운 척 다시 답장을 했다.

　-　　　[들개를 죽여서....]

　-　　　[너무 궁금한데 조금만 자세히 알려주면 안 돼요? 제발요ㅜㅜ 저 오늘 잠 못 자요.]

　문자를 보고 피식 웃음이 났다. 사실 피식이 아니고 계속 웃음이 난다. 어쩌면 난 얘기가 하고 싶었던 것인지 모르겠다. 이 사람의 진지하지 않은 가벼운 말투가 편하게 느껴졌고 나의 얘기를 목적 없이 궁금해하는 것도 좋았다. 나는 꽤 상세히 꿈의 내용과 들개를 어떻게 잡으려고 했는지 알려주었고, 왜 포기하게 되었는지 생각의 과정도 들려주었다.

　-　　　[들개는 혼자서 못 잡죠.]

　-　　　[네?]

　-　　　[들개는 원래 혼자서 못 잡아요!!! 으이그!! 좀 더 일찍 연락 주시지~ㅎㅎ 우리 같이 잡아요!]

　예상 밖의 답이었다. 누군가와 함께 들개를 잡는다는 건 한 번도 해보지 못했던 생각이다. 핸드폰을 쥔 손이 떨린다. 아직은 끝이 아니구나. 안도감이 든 이유를 어렴풋이 알 것 같다. 긴 시간 성장을 멈추었던 마음속 새싹에 한 줄기 빛이 드리웠다.

오랜만의 일기,

그 후로도 문자 연락은 계속 이어졌다.

요즘 부쩍 일기를 쓰는 빈도가 많이 줄었지만, 어느덧 일기장도 마지막 장이다.

떨린다. 문자로만 소통하다 처음 은둔 청년 단체모임에 가기로 한 날이다.

방문을 넘어 현관문 앞, 손잡이를 꽉 움켜쥐고 수차례 심호흡한다.

용사처럼 당당히 문을 열자 찬란한 햇빛에 눈이 부시다.

세상과 연결된 기쁜, 내 꿈은 진행 중이다.

아직 내 꿈은 끝나지 않았다.

2071년까지 17,362일 남았습니다.

김머쓱

김 머 쓱   안녕하세요. 김머쓱입니다. 작가 소개로 무엇을 해야 할지 잘 모르겠네요. 네… 스위스 조력자살캡슐 '사코르'와 스탠딩바 형식의 장례식 비용을 마련하고자 돈을 벌고 있습니다. 그래서인지, 누가 죽는 내용의 영화와 드라마를 좋아합니다. '사의 찬미', '죄 많은 소녀', '비밀의 숲' 추천드려요!

나는 매일, 밤을 기다린다.

아침에 눈을 뜨면 어서 저녁이 되고 가만히 누워 눈을 감을 수 있기를

그리고 가능한 빨리 나의 삶이 끝나길 바란다.

.

.

.

어느 날, 친구들과 만났다.

밝은 빛이 통창을 뚫고 우리가 앉은 테이블에 내려앉았다.

짤랑, 카페 안은 에어컨 바람으로 시원해도 여름 특유의 볕이 지닌 열기 때문인지 아이스 아메리카노의 얼음이 빠른 속도로 녹아내렸다.

A: "벌써 여름이야. 올해 반이 지났네."

B: "그니까. 시간이 너무 빨라."

A: "나이 들수록 더 빨리 지나가는 것 같지 않아?."

B가 연신 고개를 끄덕였다.

A: "아…진짜 하루가 어떻게 지나가는지 모르겠어. 몸이 두 개라도 모자라"

B: "그치, 시간이 너무 부족해."

나는 친구들의 오가는 대화 속에서 침묵을 유지했다가 한참 후에야 입을 열었다.

"근데 나는 시간이 너무 느리게 가는 것 같아."

나의 말에 친구들의 피드백이 곧바로 들려왔다.

A: "아 진짜? 나는 엄청 빠르게 가는 것 같은데"

B: "그니까. 보통 다들 시간 빠르다고 하던데, 특이하네."

"음… 그런가?"

그간의 경험으로, 그 누구를 만나도 시간에 대한 대화는 빠짐없이 등장했다.

시각, 요일, 계절, 연도 등은 어쩌면 가장 가볍고도 보편적으로 쉽게 상대방의 공감을 끌어낼 수 있는 주제이기 때문일 것이다. 하지만 나는 그때마다 시간에 대한 기준이 남들과 다르다는 것을 깨달았다.

그래도 혹시나 나같이 생각하는 사람이 내 주변 가까이에 있지 않을까 싶어 다시 말을 꺼냈다.

"시간이 더 빨리 흘러갔으면 좋겠어."

친구들이 궁금해하는 표정을 지었다.
B: "왜 시간이 빨리 갔으면 좋겠어?"

고민 없이 말했다.
"빨리 나이들고 싶어!"

A: "아 나는 나이 먹기 싫은데"
B: "나도. 그리고 보통 나이들기 싫어하지 않나?"
A: "그니까. 너는 왜 빨리 나이들고 싶은데?"

순간, 여기서 내 대답의 갈래는 두 개로 나뉘었다. 얼버무려서 넘어가거나, 솔직한 내 생각을 드러내거나. 그리고 그 답변에 따라 대화의 분위기가 크게 달라질 것을 직감했다. 그동안 나는 머쓱하게 웃으며 다른 화제로 대화를 돌렸지만 답답함이 쌓일 대로 쌓였다. 이제 더는 안 되겠다 싶어 솔직한 내 생각을 드러내기로 했다.

"그래야 빨리 죽을 수 있잖아."

A, B: "어?"

친구들이 놀란 표정을 지으며, 쉽사리 말을 꺼내지 못했다. 서로 눈을 맞추며, 어쩌지…하는 표정으로 당황해했다.

이러한 친구들의 반응을 보고 솔직하지 말 걸 그랬나, 잠시 후회했지만 이미 저질러 버린 걸 뭐 어쩌겠는가. 그리고 이제 막 대화를 시작했는데도 어딘가 벌써 후련한 느낌마저 들었다. 그래, 언젠가는 얘기할 수밖에 없었다!

B는 당황한 표정을 애써 숨기며 조심스럽게 물어봤다.
B: "어… 왜… 빨리 죽고 싶은데?"

"딱히 살 이유도 없지 않아? 나는 내가 왜 사는지 모르겠어."
그동안 내 안에서만 표류하던 생각들을 툭, 세상에 내놓았다.

A가 걱정스럽다는 듯이 물었다.
A: "아 그럼 살면서 하고 싶은 거나, 목표나 꿈 없어?"

"음… 내가 죽고 싶을 때 죽을 수 있었으면 좋겠어."

내 대답에 A는 난감한 표정을 애써 숨기며 말했다.

A: "근데 왜 빨리 죽고 싶어?"
다시 똑같은 질문이 돌아왔다.

"그야 죽고 싶으니까?"

말장난 하는 것 같겠지만, 정말 단순하게 이유가 그러했다. 잘 죽는 것이 내 인생의 목표이자 꿈이니까. 그리고 목표와 꿈은 빨리 이루고 싶은 것이 당연하지 않은가. 어쨌든 이 대답이 내 딴에는 그 이유를 가장 잘 표현할 수 있는 것이었다.

친구들이 한숨을 푹 내쉬었다. 예상은 했지만 아무래도 공감받기는 어려울 것 같았다. 조금 가라앉은 분위기를 수습하고자 뒤이어 말을 이어갔다.

"나는 '잘' 죽고 싶어. 죽는다는 건 나한테 부정적인 게 아니거든. 우리는 모두 죽을 수밖에 없는데 이왕이면 잘 죽으면 좋잖아."

A: "그건 그치?"
다행이다. 조금은 긍정적인 답변이 들려왔다.
그렇지만 내가 뱉어놓은 말을 친구들에게 설명해야 할 책임이 생겼다. 내 생각에는 여전히 많은 부연 설명이 필요했다.

"그리고 '언제 죽고 싶다' 이런 구체적인 목표를 설정하면 더 잘 죽을 수 있지 않을까 싶어. 물론! 당연히! 내 뜻대로 안 되겠지만. 그래도 몇 살에 죽고 싶은지, 혹은 몇 살에 죽을 것 같은지 생각해야 너무 모호한 게 조금은 분명해진 느낌이 들어서 좋더라고."

친구들은 미약하게 고개를 끄덕였다.

A.B: "으음…"

그러나 여전히 이해가 잘되지 않는다는 표정이었다. B가 언뜻 긴장한 것처럼 떨리는 목소리로 조심스럽게 말을 꺼냈다.

B: "음… 그럼 너는 몇 살에 죽고 싶은데?"

"글쎄… 한 75살?"

A는 안도의 한숨을 내쉬며 말했다.

A: "휴, 그래도 내가 생각한 것보다 빠르지는 않아서 다행이다."

B: "그래! 나는 빨리 죽고 싶다고 해서 한 30~40대에 죽고 싶다는 건 줄 알았잖아."

A: "그니까! 근데 75? 왜 하필 75살이야?"

B: "그러게. 75살이면 아직 한참 남았는데 그럼 네가 말하는 '빨리'가 늦게 오는 거 아니야?"

A: "에이. 지금 그래도 100세 시대인데. 우리 때 되면 75살에 죽는 게 '빨리' 죽는 거일 수도 있어. 요즘 인생은 60살부터라잖아."

친구들의 의견이 분분했다.

그걸 지켜보는데 꽤 흥미로웠다. 그래, 이런 얘기를 하고 싶었다.

그리고 때아닌 친구들의 논쟁이 귀여워 보여서 웃으며 말했다.

"아니 그 빨리 죽고 싶다는 게 아니라, 내가 자연적으로 죽어야 할 때가 빨리 왔으면 좋겠다는 거지. 하고 싶은 거 하면서 사는데 죽는 날에 더 빨리 도달하면 좋을 것 같아. 그게 내 꿈이어서 그런가? 아무튼, 아까 말한 것처럼 언제 죽을지 예상조차 할 수 없으니까 그냥 내가 한 75살이면 죽어도 좋을 것 같다 싶어서 그렇게 얘기한 거야. 그 나이는 살면서 바뀔 수도 있겠지. 아무튼 지금은 75살에 가까워."

B: "음… 어렵네. 근데 네가 어떤 의미로 그렇게 얘기하는지 어렴풋이 알 것 같긴 해. 뭐 돈을 얼마 모으겠다, 내가 원하는 직업을 이루겠다 이렇게 대입하면 같은 맥락에서 이해하기가 쉽지."

B의 말에 A가 조금은 알겠다는 듯이 고개를 끄덕였다.

A: "너는 어떻게 보면 그게 죽음이랑 관련된 것뿐일 수도 있겠다. 아 그러면, 목표하는 나이에 안 죽으면 어떡해?"

"안 그래도 그것도 생각해 봤지."

나는 비장하게 웃어 보였다.

"왜 스위스에 조력자살캡슐 개발됐잖아. 아직 논쟁도 많고 비용도 비싸다고 하지만 그래도 시간 지나면 상용화되지 않을까 싶어. 그래서 정말 죽고 싶을 때 그 캡슐을 이용해 봐도 좋지 않을까 싶어."

'자살'이라는 단어가 들어가서 분위기가 다시 어색해지지는 않을까 노파심이 들었다.

A: "아! 나도 그거 뉴스에서 봤어. 근데 그 캡슐 엄청 비싸다던데?"
B: "맞아. 그리고 한국으로 시신 운반하는 비용도 엄청 비싸지 않아?"

다행히 분위기가 다시 어색해지지는 않은 것 같았다. 친구들도 '죽음'을 주제로 얘기하는 데 어느 정도 익숙해진 것 같았다.

"내 시신이 꼭 한국에 있을 필요는 없지. 스위스 경치도 좋은데, 그곳에 묻히면 오히려 더 좋지 않을까?"

A: "야, 그래도 죽기 전에 보면 더 좋지! 죽으러 가기 전에 스위스 한 번 안 둘러볼 거야?"

"스위스? 구경해 줘야지! 융프라우 보고 싶어."

A: "그래! 그리고 네가 스위스 구경하다가 더 살고 싶어질지도 모르잖아."

얼핏, A가 어떤 의미로 말하는지 알 것 같았다.

"그치. A, 네 말대로 죽으러 스위스 갔다가 그 전에 한 번 둘러봤는데 정말 좋아서 더 살아있고 싶을 수도 있고 아니면 '적어도 융프라우 가서 스키는 타보고 죽어야지!' 이런 구체적인 목표가 생길 수도 있고 말이야."

나의 대답에 A가 조금은 만족스럽다는 듯한 표정을 지었다.

그러나 이 대화는 내 생각의 '결'과는 조금 다른 것이었다. 그래서 A의 만족과는 별개로 나는 내 생각에 대해 다시 설명했다.

"음… 지금까지 내가 말한 건, '죽고 싶다는 결심'이기 보다는 삶을 대하는 태도로 볼 수 있을 것 같아. 인생이 너무 불확실한데 '죽음'은 확실하잖아. 그래서 죽음만큼은 내가 주체적으로 결정하면 좋을 것 같더라고. 그리고 실제로 내 개인적으로, 죽음을 구체적으로 설정해 놓으니까 오히려 내 삶에 대한 확신이 들었어. 어딘가 든든한 느낌마저 든달까?"

친구들이 '아-.' 하는 소리를 내며 고개를 끄덕였다.

이제서야 친구들은 내가 어떤 말을 하고 싶어 하는지 눈치챈 듯했다. 지금까지 내가 너무 복잡하게 말했나 싶었지만 이런 얘기를 남들에게 처음 하는 거니 그러려니 했다.

그리고 이 기회에 친구들에게 내가 평소 갖고 있던 의문을 물어봤다. 다른 사람들은 '왜' 죽기 싫어하고 혹은 늦게 죽음을 맞이하고 싶은 건지 궁금했다.

"그러면 너희들은 어때? 오래 살고 싶어?"

친구들은 잠시 고민하다가 말했다.
A: "응. 건강하게 오래 살고 싶어. 죽기 싫어."
B: "나는 막 그렇게 오래 살고 싶지 않은데 그렇다고 너처럼 나이를 딱히 정해놓은 건 아니야."
세 명 다 다른 의견이었다. 나만 그렇게 다른 것도 아니었네! 그래도 친구들이 공통적으로 말한 '오래'에 대한 정의가 필요한 것 같아서 다른 질문을 던졌다.

"그럼, 너희들은 몇 살에 죽고 싶은데?"

A는 망설임 없이 답했다.
A: "난 100살."

어쩐지 귀여운 숫자에 웃음이 났다. 자신이 아는 수 중에 100이 제일 큰 숫자여서 자신 있게 말하는, 이제 막 숫자를 배우기 시작한 아이의 모습이 떠올랐다.

"100세 시대여서 100살까지 사는 거야? 더 오래 살 수 있으면 더 살고?"

A가 자신 있게 끄덕이며 말했다.

A: "응. 맞아! 난 최대한 오래 살고 싶어."

A의 말에 B는 감탄하듯이 말했다.

B: "오…신기하네."

A는 우리의 이러한 반응에도 어딘가 당당하게 말했다.

A: "나는 하고 싶은 게 너무 많아서 최대한 오래 살 거야! 그리고 일단 죽는 것 자체가 무섭잖아. 죽을 때 아프고 고통스러울 것 같아…."

무서워하는 표정을 지으며 말하는 A에게 나와 B는 호응했다.

뒤이어 B가 말했다.

B: "나는 A처럼 가능한 한 오래 살고 싶다. 그런 건 아닌 것 같아. 그냥 적당히 살다가 죽으면 좋겠다?"

B의 대답에 궁금증이 일었다.

A 역시 흥미로운 듯 질문을 던졌다.

A: "B는 우리의 중간지점인 것 같은데? 그럼, B는 왜 적당히 살다 갔으면 좋겠어?"

A의 질문에 B는 바로 대답했다.

B: "늙으면 몸이 하나씩 고장 날 텐데, 그 모습을 내가 받아들일 수 있을지 모르겠어. 그리고 그런 신체적 한계 때문에 하고 싶은 걸 못하게 되면 너무 슬플 것 같아."

그 말에 나와 A는 하나같이 '오…!' 하는 입 모양과 함께 탄성을 내뱉었다.

"맞아! 진짜 슬플 것 같아. 어쨌든 뭔가를 포기하는 데 익숙해져야 하는 거잖아."

A: "그건 나도 정말 슬플 것 같아. 그래도 노화되는 건 어쩔 수 없으니까 그 모습도 내 모습이다 하고 받아들여야지! 나는 그런 내 모습도 좋을 것 같아."

그 얘기를 듣다가 나이 든 우리의 모습이 어떨지 잠깐 상상했다. 전혀 예상되지 않는 미래를 생각하다 보니 잠깐 적막이 돌았나 보다. 그 침묵을 깨기 위해, A가 사뭇 다른 분위기의 말을 꺼냈다.

A: "근데 우리 대화 토대로 보면, 나이상으로는 네가 제일 빨리 죽는 거잖아. 항상 우리 셋이 있다가 너 없으면 우리는 심심해서 어떡

해."

이러한 얘기를 하기로 결심하면서 전혀 예측하지 못한 반응이면서도 감동을 주는 말이었다. 나는 너무 진지하지 않은 분위기를 만들기 위해 일부러 장난스럽게 대답했다.

"뭐야. 감동이잖아!"

A: "내가 빨리 죽으면 너도 그렇게 생각하지 않겠어?"

"그치. 적적하고 슬플 것 같아. 그래도 아까 A가 말한 것처럼 그게 인생인데 받아들여야지. 아쉽지만 일단 내가 먼저 갈 테니까 너희끼리 잘 놀고 있어."

B: "안 섭섭하겠어? 우리끼리 놀아도?"

"흠 그건 어쩔 수 없지. 그냥 내 장례식에서 울지 말고 웃으면서 잘 보내줘."

A: "장례식에서 어떻게 웃어…"

A의 이러한 반응이 왜 나왔는지 너무 알 것 같았다. '정말 한국 장례식만큼 불필요한 것이 있을까'하는 생각이 들었다. 물론 다른 나라의 장례 문화를 잘 모르지만, 내가 겪은 우리나라의 장례식은 쓸데없이 복잡하고 형식적인 절차가 본 목적을 이겨버린 것 같았다.

정작 고인의 가장 가까운 사람들은 죽음을 받아들이고 애도할 시간조차 주어지지 않은 채 근조화환의 위치를 정하고, 조의금을 정리하고, 찾아와준 조문객들에게 예의를 갖추며 술상을 대접하기 바쁜 것이다.

솔직해진 참에 내가 하고 싶은 '내 장례식' 얘기를 해야겠다 싶었다. 나는 사뭇 진지해진 표정으로 말했다.
"부탁할 게 있어."

갑작스레 바뀐 내 표정에 친구들도 긴장된다는 듯한 얼굴을 했다. B가 조심스러워하며 물었다.
B: "뭐… 뭔데?"

"내가 너희보다 먼저 죽게 되면, 장례식 좀 치러줘."

친구들은 놀란 표정을 지었다. 친구들의 놀란 표정에도 나는 주저하지 않고 그동안 혼자서만 생각해 온 '내가 바라는 나의 장례식'에 대해 말하기 시작했다.

"있잖아. 내 장례식은 스탠딩 와인바로 부탁해. 미러볼도 달아서 재즈나 분위기 좋은 R&B 음악을 틀어줘. 아 아니다! 그냥 내가 좋아하는 음악 셋 리스트를 만들어 놓을게. 그것 좀 틀어줘."

내 말에 A는 황당하다는 표정을 지으면서도 웃으며 말했다.

A: "미친놈 아니야?"

B는 이제 질렸다는 듯이 고개를 저으며 웃었다.

그럼에도 나의 진지한 표정에 B가 물었다.

B: "어휴…. 사람 정말 여러 번 놀라게 하네. 그나저나 장례식장에 미러볼을 어떻게 달아?"

"아 왜! 내 장례식인데!"

그리고 내 장례식이 어떤 모습이면 좋을지 친구들에게 더 구체적으로 설명했다.

"간단하게 와인이나 위스키 한 잔씩 하고, 뭐 술 못 먹는 사람들도 있으니까 무알코올 음료도 준비해서 스탠딩 바에서 얘기 나누는 거지. 내가 좋아했던 음악을 배경음악으로 하고, 빔프로젝트에는 내 사진이나 추억들 영상으로 만들어서 틀어줘. 그리고 적당히 즐기다 가. 그냥 다들 편안하게 나를 그리워하기도 하고 나랑 있었던 웃긴 일화 얘기도 하면서 너무 슬퍼만 하지 말고 편안하게 보내줬으면 좋겠어."

A: "야, 아니 바라는 게 뭐 이렇게 많아."

B: "무엇보다 돈이 엄청나게 들겠는데? 공간대여도 해야 하고… 그리고 그걸 언제 다 준비해?"

예상했지만, 역시나 친구들의 반발이 심했다. 그렇다고 벌써 내가 꿈꿔온 장례식을 포기할 순 없었다.

"걱정들 하지마! 내가 죽기 전에 미리 준비해 놓을게. 그러려고 내가 돈 벌잖아."

A: "아니 장례식 준비하려고 돈 버는 거였어?"

친구들은 내 말에 어이없는 듯 했다. 뭐 각자 돈 벌어서 하고 싶은 거야 다 다르니까.

"그 이유만으로 돈 버는 건 아니지! 조력자살캡슐 비용도 혹시 모르니까 모아놔야 하고. 무엇보다 장례식 치를 때, 내가 번 돈으로만 지출해서 남아있는 사람 중 그 누구도 난처해지지 않게 하는 게 내 목표야."

A: "오 그건 좋은 목표인데?"

"그치? 빈 손으로 태어나서 옷 한 벌은 건져야 하지 않겠어?"

A: "그 말 어디서 많이 들어봤는데?"

B: "그거 노래 가사 아닌가? 아니다 속담인가? 어쨌든 언제 죽을 줄 알고 그걸 다 준비해?"

"언제든 활용할 수 있게 준비해 놓고 있지. 미러볼은 이미 사 놨고, 셋 리스트는 유튜브 뮤직에 폴더 만들어서 계속 업데이트하고 있어. 내가 메모장에 로그인 정보 적어둘 테니까 나 죽으면 그거 봐. 나 이 래 봬도 유튜브 프리미엄이야."

A: "참나. 엄청 구체적이네."
B: "그러면 그냥 네 핸드폰으로 유튜브 뮤직 들어가서 틀면 되지 않아?"

"오 그렇네! 아 그래도 혹시 사망신고 돼 있어서 내 계정 정지됐을 수도 있으니까."

A: "철저하다 철저해!"
B: "정말 구체적이네…. 그럼, 와인이랑 위스키랑 무알코올 음료 는?"

"아 그것만 좀 준비해 줘!"
나의 뻔뻔함에 친구들은 거의 포기한 듯 싶었다.

A: "아 네 친구하기 힘드네! 뭐, 그래! 그 정도는 해줄 수 있지."
친구들이 딴말하기 전에 확실히 해두어야겠다 싶어, 나는 기쁜 목 소리로 얼른 대답했다.

"헐 진짜?? 약속한 거다!"

A: "그래! 대신 너도 해줘. 누가 먼저 죽을지 모르는 거잖아."
B: "맞아. 우리만 해줄 수는 없지!"

친구들의 장례식은 어떤 모습일까, 궁금해졌다. 왠지 범상치 않을 것 같았다. 그래도 그 무엇이 됐든, 내가 해줄 수 있다면 기꺼이 해줘야지!
"좋아! 그럼, 너희들은 장례식 어떻게 치르고 싶어?"

.

.

.

어떤 죽음을 맞이하고 싶은지, 어떻게 장례를 치르고 싶은지 수없이 혼자 생각해 보면서 이 생각을 남들과 공유하는 것도 중요하다는 것을 깨달았다.

가까운 사람의 죽음을 맞이했을 때 내 머릿속은 온통 의문투성이었다.

'죽고 싶었을까? 죽을 때 아프지는 않았을까? 죽으면서 어떤 생각을 했을까? 좋은 기억을 떠올렸을까? 아님 못했던 걸 떠올리며 후회하지는 않았을까? 아니, 애초에 본인이 죽는다는 걸 인지하고는 있었을까?'

하지만 그 질문에 답을 해줄 사람은 더 이상 없었다. 아이러니하게 내가 질문을 던지고 내가 답을 해야 하는 상황이었다.

끊임없이 들려오는 질문들에 대답을 해보려고 했으나, 그럴 때마다 '나 편해지자고, 내가 생각하고 싶은 대로 답하는 건 아닐까? 내가 그런 자격이 있을까?' 의문이 들었다. 나는 어떠한 질문에도 답을 할 수가 없었다.

그래서 나는 나의 소중한 사람들에게 질문으로 남고 싶지 않았다.

사람들은 장례를 치르는 나에게 '뭐라 드릴 말씀이 없다. 얼마나 슬프겠냐.' '삼가 고인의 명복을 빈다.' 등의 형식적인 말들만 반복했다. 상상조차 해보지 않은 상황에 나는 울컥, 차오르는 눈물을 어디 가서 혼자 속 시원히 쏟아내고 싶은 마음뿐이었다.

하지만 상주인 내가 자리를 비우는 건 불가능했고, 그렇다고 또 울면서 조문객을 맞자니 내가 더 힘들어질 것이 분명했다. '상주로서 제역할은 해야 하니 일단 3일간은 아무 생각 하지 말자… 울지 말자….'

속으로 생각하며 무표정으로 바닥을 본 채 손님들에게 인사를 했다. 많은 사람이 오간 것 같았다. 검은 바지, 검은 양말을 신은 발들이 드문드문 왔다 갔다. 어쩌다 가끔은 흰 양말을 신은 발들도 보였다.

얼마나 지났을까. 이런 나를 보며 멀리서 조문객과 친척들이 '눈물 한 방울 안 흘린다.'며 수군거리는 소리가 들렸다. 그 말을 듣자니 '나도 슬픈데, 온 힘을 다해서 참고 있는 건데, 아무것도 모르면서….' 억울한 마음이 들었다.

그러다 누군가 내게 흰 종이를 들이밀었다. 고개를 드니 처음 본 사람이 상조회사에서 왔다며 자신을 소개했다. 그 사람은 나에게 '얼마나 슬프겠냐'며 조심스럽게 말을 꺼내더니 '우선 이것들을 처리해 주셔야 한다'며 능숙하게 무어라 말을 막 쏟아내기 시작했다. 생소한 단어와 복잡한 절차에 제대로 이해할 수는 없었지만, 일단 미약하게 고개를 끄덕이며 가리키는 곳들에 서명했다.

그 후에 내게는 함이 안겨졌다. 한 품에 쏙 들어온 함은 얼어서 빨개진 내 손끝을 녹일 만큼 따뜻했다. 마지막으로 만진 손은 차가웠는데…. 애꿎은 함만 계속 만지작거렸다. 함의 굴곡이 매끄러웠다. 더 이상 그 손의 감촉은 생각나지 않았다. 남아있던 온기는 추운 겨울 바람에 빠른 속도로 식어갔다. 어느덧 내 손보다 차가워진 함을 들고 가지만 남은 나무 아래 우두커니 서 있었다.

이것이 내게 남겨진 현실이었다.

나는 그 사실을 애써 외면하고 싶어, 차라리 그냥 시간이 빨리 지나가 있었으면 좋겠다고 생각했다.

그렇게 하염없이 죽는 날을 기다렸다.

아니 적어도 아무 생각을 하지 않아도 되는, 잠을 자도 되는 밤이 되기를 바랐다.

'

.

.

여전히, 시간이 더디게 흘러가고 있다.

무성 8트랙 테이프

최혜리

최혜리   후회의 덧없음을 곱씹고 무언가를 '극복'하는 것에 집중하며 살아온 평범한 20대이다. 소설을 읽고 쓰는 일을 사랑하며, 책은 극복의 원동력이 되어준다고 믿는다. 가장 좋아하는 철학자는 프리드리히 니체, 좋아하는 책은 헤르만 헤세의 데미안이다. 깨달음의 연속인 정신없는 삶 속에서 책을 놓지 않는 것이 작은 목표이다.

'인생을 바꿔보세요.'

여기구나. 은수는 이미 수 차례 정독해 익숙한 광고문을 확인하고 공과대학원 식험실에 있음 법한 두꺼운 철문을 힘겹게 열어젖혔다.

내부는 예상했던 것보다 꽤 넓었다. 들어서자마자 발견한 것은 정체를 알 수 없는 수많은 기계와 각종 약품, 주사기 등이 깔끔히 정렬되어 있는 수납장이었다. 수납장 옆에는 기이할 정도로 큰 원형 시계가 걸려있었다. 은수는 반대편에 위치한 촌스러운 손잡이가 달린 문을 보고 영화 『나니아 연대기』에서 나올 법한 새로운 세상으로 연결되는 벽장 같다, 따위의 쓸모없는 상상을 하며 시선을 옮겼다. 중앙에는 흰 벽과 대비되는 큰 검은색 사무용 테이블에 은수의 또래쯤 되어 보이는 여자가 앉아있었다. 초겨울임에도 불구하고 짧은 치마에 앵클 부츠를 신은 여자는 큰 눈에 오똑한 코, 그야말로 완벽하게 아름다운 얼굴을 가진 사람이었다. 은수는 간단히 눈인사를 건네고 여자의 건너편에 앉았다. 자신을 다영이라고 소개한 여자는 차가운 공기를 견디기 어렵다는 듯 다리를 살짝 떨며 은수를 호기심 어린 눈길로 쳐다보았다. 은수는 목을 간지럽히는 이물감을 느끼며 앞에 놓인 생수를 한 모금 들이켜고 다영에게 말을 건넸다.

"여기 인신매매 조직 같은 건 아니겠죠?"

약간의 불안과 가벼운 농담이 뒤섞인 질문에 그녀는 원하던 장난감을 선물로 받은 어린아이처럼 흥분한 목소리로 답했다.

"걱정하지 말아요. 우리는 선택받았잖아요!"

선택받았다. 자칫 사이비 종교의 교주에게 홀린 것처럼 들릴 수 있는 표현이지만, 다영의 문장은 이 상황을 표현하기에 더할 나위 없이 완벽했다. 작은 기업에서 낸 시간 여행 장치 시험 운행 대상자 모집 광고문을 보고 모인 사람들은 수천 명에 달했고, 그중 면접을 거쳐 단 3명만이 대상자로 선정되었으니 말이다.

끼익-. 두꺼운 철문이 조심스럽게 열리고 키 큰 남자가 들어왔다. 키만 큰 것이 아니라 적당히 풍채가 좋아 왠지 경호원처럼 든든한 분위기를 풍기는 남자였다. 안녕하십니까. 그는 정중하게 인사를 건네면서도 동시에 사무실 내부를 의심스러운 눈길로 빠르게 훑어보고는 옆 의자에 앉았다. 남자가 앉자마자 기다렸다는 듯이 비밀스러우면서도 촌스러운 벽장 같은 문이 열렸고, 면접에서 보았던 검은 뿔테 안경을 낀 여자가 서류 뭉치를 한쪽 팔에 끼고 또각또각 걸어 나왔다.

"환영합니다, 여러분."

1. 은수의 이야기

실패한 인생. 은수는 자신의 삶을 그렇게 이름 붙였다.

K대 수석 졸업, 대기업 입사, 높은 연봉, 여유로운 집안까지. 실패와는 거리가 멀어 보이지만 그녀 자신만은 스스로 만족하지 못했다. 무언가에 성공하는 순간보다 놓치고 좌절하는 순간들만이 은수의 머릿속에 오래도록 남아있었다. 자신의 영혼은 숭숭 구멍이 뚫려 있어 언젠가는 무너질 수밖에 없다고 은수는 생각했다. 사실 항상 그러한 상념에 빠져 있는 것은 아니었으나 때때로 그러했다.

행운이 될지 불행이 될지 모르는 그 광고문을 발견한 날도 그러한 하루 중 하나였다.

고등학교를 졸업한 지 10년 가까이 되도록 연락을 이어가는 유일한 동창, 도희를 만나는 날이었다. 다행히 일이 많지 않아 은수의 퇴근이 제시간에 이루어졌고 단골 칵테일 바에 약속 시간 내에 도착할 수 있었다.

"왔어?" 도희는 아늑하지만 작은 가게의 바 구석에 이미 자리를 잡고 사장님과 수다를 떨고 있었다. 은수는 사장님과 가벼운 인사를 나누고 옆자리에 앉았다. 평소처럼 안주와 술을 주문하고 상사가 얼마나 지랄 맞은지, 남자친구가 얼마나 센스 없는지 이야기를 쭉 늘어놓던 도희는 갑자기 무언가 생각이 난 듯 말을 잠시 멈췄다. 입을 뗄까 말까, 고민하는 그녀의 표정에 은수는 호기심이 커져 도희를 재촉했다. 이내 자신의 호기심을 원망하게 되리라는 것은 전혀 예상하지 못

하고.

"걔 결혼한대."

주어를 명확히 말하지 않았지만 도희와 은수 사이에서 '걔'라고 불리는 사람은 단 한 명뿐이었다. 은수는 그 아이를 떠올리자 17살 시절로 돌아간 듯한 기분을 느끼며 속이 울렁거렸다. 도희는 은수의 표정 변화를 눈치채지 못하고 말을 이어 나갔다.

"엄청 부잣집에 시집간다더라. 대대로 의사 집안이래. 남편 될 사람도 의사, 아버지도 할아버지도 의사. 걔도 의사니까 뭐. 조건 좋은 사람끼리 만난거지."

그 아이의 행복도 불행도 빌지 않고 잊기 위해 노력하며 살았지만 이렇게 소식을 전해 들으니 기왕이면 불행을 기도했어야 했나, 하는 후회가 슬쩍 치밀어 올랐다. 도희에게 아직도 과거의 일을 극복하지 못한 실패자로 보이고 싶지 않아 불편한 표정을 애써 지우기 위해 노력했다.

"그래? 걔도 참 탄탄대로네. 질투 나게."

아무렇지 않은 척 가볍게 대답하곤 화제를 돌렸다. 최근 방영 중인 인기 드라마 이야기를 꺼내자 도희는 신나서 주연 남자 배우가 얼마나 잘생겼는지 묘사하기 시작했다. 고등학교 3학년 때 도희와 가까워지면서 그 아이와 있었던 일을 말해주었을 때, 도희는 길길이 날뛰며 분노를 토해냈었다. 성인이 된 이후로도 가끔 고등학교 시절 이야기가 나오면 걔 때문에 네가 참 고생이 많았지, 하며 대신 화내주기도 했다. 지금 생각해 보면 그다지 큰일은 아니었을 수도 있다. 하지만 고등학교 시절에 인간관계로 만들어진 울타리는 세상의 전부였다. 가장 친한 친구라 믿었던 그 아이가 한순간에 은수를 나쁜 친구로 만들어 고립시켜 버린 그날 이후, 학교는 은수에게 꽤 오랫동안 지옥이었다.

"오늘 조금 피곤하네. 마지막으로 짠하고 일어날까?"

갑자기 떠오른 옛 기억들에 피로해진 은수는 자리를 서둘러 마무리하고 버스 정류장으로 향했다. 20분 후 도착 예정임을 알리는 정류장 전광판을 슬쩍 보고는 한 정거장 정도는 걸어볼까, 고민하며 천천히 걸음을 옮기다 보니 어느새 1시간 정도가 흘러 있었다. 지도 앱을 켜 가까운 정류장을 확인하고 횡단보도 신호를 기다리는데, 전봇대에 얇은 테이프로 아슬아슬하게 고정되어 있는 종이 한 장이 눈에 들어온다.

'인생을 바꿔보세요. 후회되는 순간이 있나요? 그 순간으로 돌아가 선택을 바꿀 수 있다면 당신은 어떻게 하시겠습니까?'

은수는 상세하게 적혀 있는 시간 여행 장치에 대한 설명을 꼼꼼히 읽은 후, 이건 말도 안 되는 소리야, 중얼거리면서도 종이를 조심스럽게 전봇대에서 떼어냈다. 우연일까 운명일까. 이게 정말 가능하다면 신이 주신 마지막 기회일지 모른다.

후회되는 순간은 셀 수 없이 많았다. 그 시작은 00 고등학교 입학이 될 것이다. 은수가 정신과 의사를 꿈꾸고 입학한 명문고등학교에서 맞이한 첫 짝꿍은 우연히도 같은 꿈을 꾸고 있었다. 관심사가 비슷했던 은수와 그 아이는 빠른 속도로 가까워졌다. 점심시간에 프로이트와 융에 관해 이야기했고, 주말에는 은수네 집에서 과일을 먹으며 정신과 의사가 주인공인 드라마를 보았다. 매일 야간 자율학습을 마치고 학교 앞 분식집에서 떡볶이나 어묵을 먹으며 시시콜콜한 이야기를 나누기도 했고, 새벽 2시까지 독서실에서 함께 공부했다.

그런데 어느 날 갑자기, 너무나도 평범하고 평화로운 어떤 아침에, 교실로 들어서자마자 차갑게 가라앉은 공기가 은수를 맞이했다. 그날부터 그 아이는 여러 친구를 동원해 은수를 미워하기 시작했다. 처음에는 서운한 일이 있었던걸까 싶어 그 아이와 대화를 시도했다. 그러나 그 아이는 칼날 같은 눈빛으로 은수와의 관계를 잘라냈다. 조금 시간이 지나서야 알게 된 사실은 그 아이가 자신을 친한 친구를 질투해 남자친구도 뺏고 뒷담화를 하고 다니는 나쁜 년으로 만들었다는 것이었다. 은수는 가장 친한 친구가 거짓말까지 해가며 선명한 적대감을 드러내는 이유를 알아내고자 자신의 행동을 여러 번 곱씹어 보았다. 전국 6월 모의고사에서 은수가 성적표를 받은 날, 기쁜 마음으로 1등이라는 사실을 얘기한 것이 문제였을지도 모른다는 결론을 내렸다. 그 아이는 학교 시험 기간에나 모의고사 날에 유난히 뾰족해지고는 했다.

그 아이가 만든 소문 속 남자친구의 얼굴도 이름도 몰랐지만, 은수의 이야기를 귀 기울여 들어줄 친구는 없었다. 진실은 중요하지 않았다. 그게 진실이 아님을 알았더라도 같은 반 친구들은 은수와 그 아이 사이의 다툼에 끼어들고 싶지 않았을 것이다. 그 아이와 새롭게 친해진 무리 몇 명은 은수를 향한 이유 없는 적대심을 적나라하고 강렬하게 드러냈다.

"아 저 씨발년. 눈앞에서 사라졌으면 좋겠다."

"남자에 미친 년."

"학교는 왜 다님? 아무도 안 좋아하는데."

"자퇴 좀 했으면 좋겠다. 나 쟤 보면 개빡치는데 이런 거 정신적 손해로 고소 안 되냐?"

복도를 지나갈 때 들리는 상스러운 욕지거리와 키득거림이 자신을 향한 것임을 알고 있었다. 모른 척 지나갔지만 빠르게 뛰는 심장 소리에 귓가가 쿵쿵 울리고 구역질을 참기 어려웠다. 가장 견디기 힘들었던 순간은 발표 수행평가 같은 것들이었다. 교탁 앞에 나가 그들의 빨갛고 세모난 눈길을 받고 있으면 말문이 절로 막혔다. 은수는 매일 아침 셔틀버스를 타면 눈을 감고 기도했다. 큰 교통사고가 나서 제발 저 좀 학교에 가지 않게 해주세요. 이 지옥에서 벗어나게 해주세요.

학년이 바뀌자 자연스럽게 그들의 증오도 흐려졌다. 새로운 친구들을 사귀고 학교생활에 적응해 나갔지만 여전히 불안감을 온몸에 칭칭 둘러 감고 지냈다. 새로운 친구들도 언제 은수에게서 등을 돌리고 칼을 휘두를지 모르기 때문이다.

두 번째 후회의 기억은 삼수를 결심하던 순간이 될 것이다. 명문고등학교에서 양질의 교육을 받았기 때문에 첫 수능도, 두번째 수능도 좋은 성적을 거두었지만 원하는 의대에 입학하기에는 부족했다. 인정하기는 싫지만 그 아이가 의대에 합격했다는 사실이 삼수를 다짐하는데 조금의 영향은 끼쳤을지도 모른다. 세 번째 시험을 준비하면서 유난히 그 아이의 미움 가득한 붉은 눈빛이 자주 떠올라서였을까. 은수는 1교시 언어 시험을 보던 중 교탁에 서 있는 감독관 선생님이 자신을 째려보는 듯한 기분이 들었다. 착각인 것을 분명히 인지하고 있었으나 갑자기 숨이 막혀오는 것을 느꼈다. 교실 바닥부터 물이 빠르게 차올라 눈 깜짝할 사이에 모든 장기가 정체 모를 압력으로 짓눌렸다. 17살 이후 늘 칭칭 둘러 감고 지냈던 불안이라는 악마가 뱀처럼 은수의 몸을 옥죄는 듯했다. 그러나 그대로 포기하고 도망칠 수는 없었다. 손에 힘을 꽉 주고 버텼다. 점수는 당연히 세 번의 결과 중 가장 낮았다. 다행히 워낙 우수한 실력을 갖추고 있었기 때문에 명문대학교의 공과대학에 진학할 정도는 되었다. 다만, 세 번째 수능장에서의 숨 막히는 경험 이후로 은수의 정체 모를 불안감은 이전보다 자주 찾아왔고, 삼수 결심을 오래도록 후회했다.

그때부터 은수는 자신의 삶을 실패한 인생이라고 생각했다.

간절히 바랐던 꿈이 좌절되자 사소한 실수마저도 모두 큰 실패로 다가왔다. 아르바이트에 불합격했을 때, 전공 시험에서 계산 실수로 A+를 놓쳤을 때, 취업준비생 시절 면접장에서 말을 더듬었을 때. 그 모든 순간마다 은수는 생각했다. '역시 난 이것밖에 안 되는 인간이야.'

그 아이와 자신을 비교할수록 과거의 모든 것이 잘못되었다는 생각에 사로잡혔다. 다시 들여다본 광고문에는 과거를 바꿔 일어날 수 있는 사건들이 예상에서 벗어날 수도 있음을 경고하는 문구가 작은 글씨로 적혀 있었지만, 은수는 애써 외면했다. 상관없다. 그 아이를 만나지 않고, 내 꿈을 이룰 수만 있다면.

2. 다영의 이야기

  다영은 깐깐하게 생긴 여자의 안내 사항을 듣고 각종 계약서에 서
명하면서 속은 기분이 들었다. 단 한 번, 하루의 시간 여행밖에 허락
되지 않는다니! 그렇게 짧은 시간으로 어떻게 인생을 바꿀 수 있단 말
인가. 선택받았다고 생각했는데 이게 뭐람. 혈관을 타고 몸속 구석구
석 허탈함이 번지는 듯 힘이 쭉 빠졌다. 다영은 인생을 바꿔보라는 문
구를 사용한 건 틀림없이 허위 광고에 해당할 것이라는 생각이 들었
다.

  처음 대상자로 선정되었다는 전화를 받았을 때는 어렸을 적 막연
히 상상했던 것들을 현실화할 수 있다는 사실에 너무 기뻐 할말을 잃
었다. 전남친에게 차이던 순간으로 돌아가 내가 먼저 이별을 고할까?
아니다, 그런 시시한 것보다는 큰일을 해야 하지 않겠어? 당첨 수령
금이 한 60억쯤 되는 로또 당첨 번호를 외워 건물을 하나 사야겠다.
행복한 상상이 그녀의 머릿속에 꼬리에 꼬리를 물고 이어져 어제는
잠을 거의 자지 못할 정도였다.

  몸집이 커진 기대는 더욱 큰 실망을 데려오는 법이다.

  약간은 비현실적일 정도로 하얗고 깡마른, 아마 이 회사의 대표나
시간 여행 개발 장치의 개발자쯤 될 것 같은 안경 쓴 여자는 다영의
머릿속에 들어갔다 나온 것처럼 금지 사항들을 줄줄 읊었다. 정부의
시험 운행 진행 허가를 받으며 약속한 것이 있었다나? 로또나 땅을
구매하는 등 일확천금을 위한 영리행위 금지, 타인의 삶과 죽음에 개

입 금지, 타인의 업적을 훔치는 행위 금지, 시간 여행자라는 사실 발설 금지.. 그 외에도 다영은 상상해왔던 모든 것들을 리스트에서 하나하나 지워야만 했다. 직원들이 시간 여행을 실시간으로 모니터링 한다고 하니 몰래 금지된 것을 할 수도 없는 노릇이었다. 이거 사생활침해 아닌가, 싶기도 했지만 다영은 본인이 서명한 수많은 서류들 중 마지막쯤 있었던 모니터링 동의서가 떠올라 의미 없는 마음 속 비판을 관두었다. 그래도 남들은 해보지 못하는 경험을 해볼 수 있는 것에 감사하는 것이 스스로에게도 더 유익할 듯했다.

'그날'까지는 열흘의 기간이 주어졌다. 단 한 번의 시간 여행이니 언제로 갈지 신중하게 고민해보라며 대표 혹은 개발자, 아니면 평범한 사무 직원일 수도 있는 여자가 말했다.

"이 여행도 후회가 되지 않게, 다시 바꾸고 싶은 과거가 되지 않도록 충분히 고민해보시길."

여자는 의미심장하게 얘기했다. 덧붙여 바꾼 과거로 인해 정말 많은 것들이 달라질 수 있음을 경고했고 그래도 정말 이 시간 여행에 참여할 것인지 물었다. 셋은 모두 고개를 끄덕였고, 분위기는 조금 무거워졌다.

다영은 후회라는 말이 주는 감각이 낯설게 느껴졌다. 평상시에도 과거의 흔적을 쫓으며 사는 타입은 아니라 친구들은 늘 다영에게 MZ세대답다며 놀리는 것인지 감탄하는 것인지 모를 말들을 했다. 도대체 누가 MZ세대 같은 단어를 만든 거야. 본래의 창작 목적이 무엇이든 간에, 지금은 다양성을 깎아내리기 위한 어휘로 오용되고 있음이 틀림없다. 확실히 칭찬의 의도를 담은 문장에는 쓰이지 않는 말이다. 친구들의 진의가 날카로운 칼을 품고 있지 않다는 사실을 분명히 알고 있지만, 심사가 조금 뒤틀리고 세상에 불만이 많은 날에는 특히나 그 단어가 거슬렸다. 다른 이들이 무너질만한 일에도 쉬이 무너지지 않고 새로운 것을 꿈꾸는 자유분방함이 거슬려 너도 이 틀에 맞춰 살렴, 하고 끌어내리는 것처럼 느껴졌다. 알게 뭐람. 다영은 깊이 생각하고 싶지 않아 숨을 크게 쉬고 주변으로 시선을 옮겼다.

'그날'에 대한 세부적 공지까지 모두 마친 그 여자는 마감 직전 원고를 모두 제출한 작가처럼 후련한 표정을 짓고 홀연히 자리를 떠난 지 오래였다. 은수리는 여지는 고민이 많은 듯 깊은 상념에 빠져있고, 준성이라는 남자는 흔들리는 눈빛으로 휴대전화 속 무언가를 뚫어져라 바라보고 있었다.

"다들 언제로 갈지 정했어요?"

가벼운 질문을 던지고, 활발한 대화가 이어지길 기대했지만 그 질문이 다영에게만 가벼웠던 것인지 은수와 준성은 그렇다는 짧은 답변만을 하고 입을 다물었다. 잠깐의 정적이 스쳐 지나가며 어색한 공기가 맴돌았다. 은수가 다영의 민망함이 걱정되는 듯 눈치를 살피며 대화를 이어갔다.

"그래도 조금 더 고민해 보려고요. 다영 씨는요?"

"저는 아직 못 정했어요. 생각보다 어렵네요."

은수의 걱정과는 달리, 다영은 은수와 준성이 다시 돌아가고 싶은 순간을 망설임 없이 선택했다는 사실에 놀라 정적의 민망함 따위는 느낄 겨를도 없었다.

"이제 슬슬 일어날까요?"

준성은 대화가 길어지는 것이 썩 달갑지 않아 보였다. 오늘 처음 본 사이에 돌아가고 싶은 흑역사의 순간을 공유하기 어려운 것이 당연하다고 생각하며 다영도 짐을 챙겼다.

'얼른 집에 가서 씻고 작업해야겠다.'

은수, 준성과는 '그날' 보자는 가벼운 인사를 나눈 후 바로 헤어졌다. 근처 유명한 도넛집을 들러 볼까, 고민했지만 기다리고 있는 작업물들이 떠올라 집 방향으로 발걸음을 옮겼다.

"제가 아까부터 지켜봤는데.. 정말로 원래는 이런 사람이 아니거든요."

꽤 오래 밖에 있었는지 코끝이 붉어진 남자가 말을 걸었다. 대게 '정말' '진짜'와 같은 부사를 남발하는 사람들은 진실로부터 가장 멀리 떨어진 사람들이다. 그것도 편견일 수는 있지만, 적어도 다영의 데이터베이스에 따르면 그러했다. 다영은 상대가 불편감을 알아차리길 바라며 남자를 건조한 눈으로 쳐다보았다.

"너무 예쁘신데 혹시 번호를 좀 알 수 있을까요?"

다영은 웃음기 없는 목소리로 죄송합니다, 하고 빠르게 자리를 떴다. 귀찮게 따라붙는 타입이 아니라 다행이라고 생각하던 중 갑자기 다영의 머릿속에 날카로운 기억의 한 조각이 스쳐 지나갔다.

그 여자도 19살 다영의 수려한 외모를 보고 접근했었다.

"제가 아까부터 지켜봤는데.. 연예인 관심 있어요?"

뜬금없는 질문으로 당황한 것도 잠시, 그 여자는 다영의 신상을 간단히 묻더니 하나의 명함을 건네고 돌아섰다. 유명 기획사였다. 재밌을 것 같았다. 다영은 깊이 고민하지 않았고, 바로 회사와 미팅을 잡았다. 처음으로 제대로 노래를 불러보았다. 노래를 마치고 회사 관계자들이 박수를 쳤을 때 가슴이 벅차오르며 이상한 들뜸을 느꼈다. 오디션 이후 연습생 계약은 속전속결로 이루어졌다. 그렇게 10년, 다양한 이유로 데뷔가 무산되거나 데뷔 조에서 제외되었고 결국 아무것도 되지 못한 채로 시간이 흘렀다. 29살이 된 다영은 할 수 있는 일이 음악 외에는 없었다. 그렇게 연습생 때 배운 것들을 토대로 작사 작곡을 시작했고, 각종 아르바이트를 섭렵하며 번 돈으로 노래를 냈다. 친구들은 가장 예쁜 청춘을 허비했다며 안타까워했지만 정작 다영 본인은 별 생각이 없었다. 20대의 절반 이상이 지나가 버린 것에 대한 작은 우울함은 있었지만 전 회사에 대한 미움으로 현재를 망치고 싶지 않았다. 어차피 슬퍼하고 후회해봤자 아무것도 바뀌지 않으니 지금의 자신만 힘들어질 것이 뻔했다. 어쨌거나 음악적 재능을 발견하게 되었고, 노래도 작곡도 제대로 배워볼 수 있지 않았는가.

물론 연말이 되면 각종 가요제와 시상식들이 보기 불편해 TV를 잘 켜지 않았다. 함께 연습생 생활을 하던 언니들 동생들이 반짝거리는 무대의상을 입고 많은 이들의 함성을 받는 것이 뼈가 시리게 부럽긴 했다.

그러니 자신에게 가장 큰 영향을 미친 한 순간을 꼽자면 단연코 그 오디션 날이라고 말할 수 있을 것이다. 그 오디션이 없었다면, 음악에 관련된 일에 종사하지 않았을 수도 있고, TV 속 과거의 동료들을 부러워하며 맥주 한 캔을 아프게 들이키지는 않았을 테니. 과거를 바꾼다는 것은 다영에게 너무 어렵고 버거운 일이었다. 그것이 절대로 불가능한 일이라고 믿어왔으니 옛날의 선택을 한 번도 돌아본 적 없었고 그게 다영이 해맑게, 무너지지 않고 'MZ스럽게' 살 수 있었던 원동력이었을지도 모른다.

만약 정말 모든 것을 바꿔볼 수 있다면 이야기는 달라진다.

생각이 여기까지 미치자, 다영은 오디션 날로 돌아가 보기로 다짐했다.

3. 준성의 이야기

"시간은 비가역적이잖아. 절대 돌이킬 수 없는 그 흐름이라는 것 때문에 후회의 개념이 생긴 게 아닐까?"

하윤은 가끔 알 수 없는 말을 했다. 준성은 하윤의 그러한 예측 불가능성을 사랑했다. 하윤의 머릿속에는 정말 다양한 생각들이 붕붕 떠다니는 듯했다. 시간 여행 장치에 관련된 광고를 봤을 때 준성이 바로 하윤을 떠올렸던 것도 자연스러운 일이었다. 하윤이라면 그 광고를 비웃었을지도 모른다. 어차피 인생은 바꿀 수 없어. 그리고 원하는 대로 바꿀 수 있다면 재미없지 않겠어? 그녀의 목소리가 들리는 듯했다.

"왜 그렇게 빤히 쳐다봐?"

"그냥, 예뻐서."

"예쁘다고? 지금 내 덩치를 봐. 예쁘다는 말이 어울리나."

그도 그럴 것이 준성은 누구에게도 괜한 시비가 걸리지 않을 것처럼 떡 벌어진 어깨와 큰 키, 적절한 근육이 어우러져 있는 다부진 몸을 가졌다. 준성에게 예쁘다는 표현을 쓴 사람은 하윤이 처음이었다.

"나는 그냥 널 보면 마음이 좋아. 너는 완전한 사람이야."

그녀가 말한 완전함이 '완벽함'보다는 '꼿꼿함'에 가깝다는 사실을 알아차리는 것은 그리 오래 걸리지 않았다. 하윤은 상대의 아름다운 부분을 찾아내고 일러주는 것에 탁월한 사람이었다.

하윤과 함께 있으면 정말이지 완전함이 무엇인지 느낄 수 있었다. 그 완전함은 '완벽함'이기도 했고 '꼿꼿함'이기도 했다. 준성은 집을 나온 후에 계속되던 악몽을 어느 순간부터 꾸지 않게 되었다. 준성이 땀에 흠뻑 젖어 잠에서 깨는 날이면 하윤은 가만히 그를 안아주었다. 꿈의 내용에 대해서는 묻지 않고. 6개월이나 악몽을 꾸지 않게 되었을 때 준성은 하윤에게 집을 나온 이유를 설명했다. 폭력적이고 무능한 아버지와 방관하는 어머니, 적당한 가난까지. 원래도 자식에게 무관심했던 부모는 먹이를 기다리는 입이 하나 줄었음에 만족하는지 굳이 연락을 취해오지 않았다. 아마 아버지는 준성을 더 이상 통제할 수 없음을 느끼고 버린 것일지도 모른다. 집을 나오던 날, 때리려던 아버지를 힘으로 제압한 준성은 처음으로 아버지의 눈에서 두려움을 읽었다. 이리도 허무하게 끊을 수 있는 관계였다는 것에 웃음이 툭 튀어나왔다.

학비와 생활비를 충당하기 위해 준성의 달력은 알바 일정으로 빽빽이 채워져 있었다. 연애를 굳이 피한 것은 아니지만, 누군가를 만나기 위해 크게 노력하지도 않았다. 그런 준성의 건조하고도 치열한 일상에 하윤은 어느 날 예고도 없이 불쑥 들어왔다.

준성은 성적장학금을 위해 학업과 알바 모두에 최선을 다해야 했으므로 대체로 바빴다. 과에서 하는 다양한 활동에서 멀어질 수밖에 없었고, 일명 자발적 아싸였다. 반면 귀여운 외모에 티 없이 맑은 분위기로 상대를 기분 좋게 만드는 힘이 있던 하윤은 모두의 사랑을 받는 인싸였다. 준성 또한 하윤의 존재를 알고 있었다. 모를 수 없었다. 준성의 눈길은 모두에게 친절한, 한 구석의 구김조차 보이지 않는 그녀에게 자연스레 향했다.

"선배는 늘 열심히 사시네요. 정말로."

전공 수업 팀 프로젝트에서 한 조가 된 하윤이 준성에게 처음으로 건넨 말에 준성은 조금 당황했다. 열심히 산다는 표현이 순간적으로 비꼬는 것처럼, 적당히 하라는 말로 들렸기 때문이다. 이어진 하윤의 말에 그러한 오해는 순식간에 풀어졌다.

"멋있어요. 태풍이 와도 절대 흔들리지 않고 제자리를 지키는, 크고 두꺼운 나무 같아요."

그런 말을 하는 하윤에게 준성이 완전히 빠져드는 것은 어쩌면 당연한 일이었다.

온전한 사랑을 받아보지 못한 자신에게 하윤이 건네주는 것들은 너무 반짝거리고 아름다워서 어느 것 하나 허투루 여길 수 없었다. 그렇게 6년 동안 차곡차곡 가슴 한 켠에 쌓아 올린 것들은 준성으로 하여 금 자연스럽게 하윤과의 미래를 꿈꾸게 했다. 학창 시절 아이는 절대 낳지 않으리라 다짐했었지만, 하윤과 함께라면 따스하고 포근한 가족을 꾸리는 것도 가능할 것 같았다.

그러나, 평범한 행복은 역시 준성의 것이 아니었다.

"미안해요 준성씨. 근데, 내 마음 나중에는 이해하게 될 거예요. 우리 하윤이를 위해서 하는 말이에요."

그녀의 어머니는 하윤을 통해 마련한 준성과의 만남에서 뜻밖의 말을 꺼냈다. 준성이 프러포즈를 하고, 하윤이 어머니께 그 소식을 기쁘게 전달하자, 어머니는 준성과 단둘이 만나길 원하셨다. 약속 장소로 들어서는 하윤의 어머니는 한눈에 봐도 가격이 꽤 나갈 것 같은 예술적인 패턴의 스카프를 매고 있었다. 그녀는 상투적인 서론을 모두 생략하고 바로 본론을 꺼냈다.

"준성씨가 폭력적인 아버지 밑에서 힘겹게 자라 독립하고 지금까지 열심히 살아온 것 모두 들었어요. 너무 대단하고 대견해요. 그렇지만 폭력성은 유전되기도 한다는데, 엄마인 내 입장에서는 준성씨에게 딸을 맡기고 싶지 않네요."

"..."

"하윤이와 준성씨는 살아온 환경이 너무 달라요. 집안 분위기, 돈을 쓰는 방법, 아이를 키우는 육아관까지 모든 면에서 부딪히게 될 거예요. 이제는 각자 서로 갈 길을 가는 게 맞는 것 같아요."

마지막까지 존댓말로 따뜻하게 포장하고자 하지만 아리도록 차가운 말을 마친 하윤의 어머니는 부드러운 미소를 지으며 일어났다.

"먼저 일어날게요. 다시 보는 일은 없으면 좋겠네요."

역시 드라마는 모두 현실을 백분 반영한 것이었다. 드라마에서나 본 대화가 오고 갈 것이라고는 전혀 예상하지 못했던 준성은 한참을 멍하니 앉아있었다.

폭력성은 유전된다… 준성 또한 가장 두려워하는 부분이었다. 그 말이 맞을지도 모른다는 불안감이 파도처럼 밀려왔다. 살아온 환경이 다르다고 표현했지만, 결국 준성의 가난을 지적한 부분에 대해서도 할 말이 없었다. 하윤과의 데이트에서 경제적 차이는 늘 느껴왔다.

부모의 반대를 무릅쓰고 하는 결혼의 말로가 어떨지는 뻔했다. 준성은 하윤을 불행하게 만들고 싶지 않았다.

아-. 이제 달콤한 꿈에서 깨어날 때가 된 것이다.

하윤에게 헤어짐을 말하는 과정은 어려웠다. 그녀는 손을 쉽게 놓아버린 준성을 원망했다. 매일 밤 미움과 사랑과 분노와 미련으로 범벅이 된 문자가 왔다. 그런 준성에게 시간 여행은 엄청난 기회였다. 하윤이 자신을 잊고 앞으로 나아가길 원했다. 아니, 사실 자신이 하윤을 잊고 앞으로 나아가길 원했다.

4. 여자의 이야기

오늘이다. 드디어 아버지가 평생을 바쳐 연구한 시간 여행 장치를 처음으로 시험해 볼 수 있게 되었다. 아버지는 장치를 완성해 놓고도 늘 자신의 발명품을 두려워하셨다. 시간 여행으로 인한 나비효과의 위험성. 귀에 딱지가 앉도록 들은 말이었다. 그러나 아버지가 돌아가신 후에도 나는 시간 여행 장치에 대한 미련을 버리지 않았고, 어쩌면 내가 전 인류의 구원자이자 신적 존재가 될지도 모른다는 생각이 들었다. 그렇게 되면 지금의 작은 연구소는 대기업이 되어 돈을 쓸어 담을 것이고, 더 이상 아버지가 남기신 유산으로 연구소를 유지하기 위해 애쓰지 않아도 될 것이다. 세계 각국에서 이 위대한 발명품을 경험해 보기 위해 줄을 서겠지.

밝은 미래를 상상하며 사무실에 도착하자마자 아버지의 방으로 향했다. 아버지가 하루의 대부분을 보내는 작업 공간이자 휴식 공간이었기 때문에 돌아가신 후에도 나는 아버지의 방이라고 불렀다. 직원들이 벽장 같다며 놀리는 그 촌스러운 작은 문도, 온통 보랏빛인 내부의 벽지도, 벚나무로 직접 만드신 책상도 곧 볼 수 없게 될 것이다. 이 사업이 성공하게 된다면 말이다. 그래도 세월에 누렇게 바랜 납작한 8트랙 테이프 플레이어만은 새로운 집무실에도 가져갈 생각이다. 오래된 것을 싫어하는 내가 유일하게 좋아하는 아버지의 물건이다. 한쪽의 재생이 끝나면 테이프를 뒤집어 다른 면을 재생해야 하는 카세트테이프와는 다르게, 같은 방향으로 돌려도 테이프 앞면과 뒷면의 음악이 자동 무한 재생된다는 점이 매력적이었다. 상자에 넣어두었던 8트랙 테이프 플레이어를 오랜만에 꺼내 보자, 어렸을 적 아버지와의 대화가 떠올랐다.

"아버지, 얘는 건드리지 않아도 끝없이 돌아가네요? 마음에 들어요."

"그러니? 나는 가끔 카세트테이프 플레이어가 틱- 소리를 내며 마지막을 알려오는 것이 더 반가울 때가 있단다. 사실 끝이 없다는 건 무섭거든."

그때도, 긴 세월이 흐른 지금도 아버지의 말에 담긴 뜻을 온전히 이해하기는 어려웠다.

"대표님, 모두 준비되었습니다."

나를 찾는 목소리에 퍼뜩 정신이 들었다. 이럴 때가 아니지. 서둘러 발걸음을 재촉해 장치실로 들어서자, 두 여자와 한 남자가 누워 자신들의 새로운 운명을 맞이할 준비를 하고 있었다.

최은수, 정다영, 황준성. 시간 여행을 하고자 하는 목적과 성격 유형이 모두 다른 세 명을 첫 시험 운행의 대상자로 선정했다. 면접에서 그들의 이야기를 들으며 궁금해졌다. 아버지가 말씀하신 나비효과라는 것이 이들에게 과연 어떤 영향을 미칠지.

최은수, 장치 확인 완료.

정다영, 장치 확인 완료.

황준성, 장치 확인 완료.

귀에 꽂은 소형 무전기에서 들려오는 직원들의 목소리에 나는 형언할 수 없는 기분을 느끼며 시작 버튼을 눌렀다.

5. 그들의 이야기

시간 여행 장치 시험 운행 최종 보고서

1. 최은수

1.1. 대상자 분석

지나간 것에 얽매어 후회가 많은 유형의 인간.

실제 자기 능력보다는 후하게 스스로를 평가하며, 새로운 변화와 도전을 받아들이기보다는 이루지 못한 것에 미련을 가짐. 분명 안정적이고 능력을 인정받는 삶을 살고 있음에도 자신보다 더 좋아 보이는 것에 집중함.

그 원인으로는 학창 시절 언어폭력으로 인한 우울증과 불안증이 있음.

1.2. 여행의 목적

실험대상자는 학창 시절 교우관계로 인해 형성된 불안이 자신의 자아실현에 방해가 되었다고 믿고 있음. 이에 의사라는 꿈을 다시 이루기 위해 고등학교 원서 지원 날로 돌아가고자 함.

1.3. 여행으로 인한 변화

이전의 삶과 다른 고등학교를 선택한 후 의대 진학 성공. 동시에 이전의 삶에서 삼수할 때 만났던 연인의 존재가 사라짐. 여행 직전 결혼을 앞두고 있었으므로 잃게 된 것에 대한 큰 상실감을 드러냄.

1.4. 1년 후 인터뷰 결과

원하는 대로 이루어진 것이 분명히 있음에도 놓친 것에 대한 후회를 보이는 비합리적 태도를 보임. 시간 여행을 후회하는 동시에 다시 한 번의 시간 여행을 요구함.

1.5. 소결

과거에 얽매여 있는 유형의 인간은 선택을 바꿈으로써 필히 발생할 수밖에 없는 변화를 받아들이기 어려워함. 자신이 갖게 된 것보다 놓친 것에 집중하는 경향을 보임. 인간은 후회를 반복하고, 그 후회를 유발한 시간 여행을 다시 원한다는 점에서 상당히 모순적임.

이러한 인간에게 시간 여행 장치의 사용은 적합하지 않다고 사료됨.

2. 정다영

2.1. 대상자 분석

지나칠 정도로 현재에만 집중하는 유형의 인간.

다만 현재에 집중하는 성향이 스스로 상처받지 않도록 보호하는 방어기제로 보임. 오랜 연습생 생활을 거쳐 큰 성과를 내지 못하였으며, 성공한 동료들에 대한 부러움은 있으나 이를 이겨낼 만큼의 삶에 대한 의지가 있음.

2.2. 여행의 목적

실험대상자는 오디션 날을 기점으로 자신의 꿈이 만들어지고, 종사하는 업계가 달라졌다는 사실을 깨닫고 자신의 삶을 바꿔야 할지 고민의 갈림길에 서게 됨.

2.3. 여행으로 인한 변화

실험대상자 중 유일하게 과거의 선택을 바꾸지 않아 변화가 없음.

오디션장으로 돌아가 처음 노래를 하게 된 순간의 희열을 다시 느끼고, 해당 진로와 경험들이 모두 의미 있었음을 다시 한번 깨달음. 나비효과에 대한 이해가 뛰어난 것으로 보임.

2.4. 1년 후 인터뷰 결과

가수 혹은 프로듀서로서 이렇다 할 성과를 내지 못하자, 아무것도 바꾸지 않았던 자신의 선택에 회의를 느낌. 시간 여행이 불가능하다는 것을 알기 때문에 현재에 충실했던 이전의 자신과는 달리, 무언가 바꿀 수도 있었는데 바꾸지 않았다는 사실에 괴로움을 토로함. 시간 여행을 후회하는 동시에 다시 한 번의 시간 여행을 요구함.

2.5. 소결

과거를 바꾸기 어려움을 인지하고 현재에 충실히 살아가던 유형의 인간에게는 시간 여행의 존재 자체가 독이 될 수 있음. 현재의 자신이 갖고 있는 것들을 감사히 여기고 새로운 도전을 계속하는 유형의 인간조차도 과거로 돌아갈 수 있다는 조그만 가능성이 생긴다면 과거의 선택에 대한 원망을 결국에는 느끼게 됨. 후회하기까지 걸리는 시간은 다를 수 있으나 결국 후회로 귀결됨.

이러한 인간에게 시간 여행 장치의 사용은 적합하지 않다고 사료됨.

3. 황준성

3.1. 대상자 분석

미래를 위해 현재의 무언가를 포기하며, 현실에 순응하는 유형의 인간.

불우한 가정환경에도 불구하고 건설적으로 살아옴. 여자친구 어머니의 말 한마디로 소중한 것을 놓을 만큼 현실적이고 미래지향적임.

3.2. 여행의 목적

실험대상자는 여자친구와의 첫 만남으로 돌아가 관계를 발전시키지 않고자 함. 여자친구와 본인의 미래를 위한다는 것이 그 목적. 타인과의 관계에 영향을 미칠만한 변화는 더욱 파장이 클 것임을 사전 고지하였으나, 그것이 상대의 앞으로의 삶에 더 낫다고 판단하여 그대로 진행함.

3.3. 여행으로 인한 변화

실험대상자의 여자친구는 대학을 졸업하자마자 부모님의 소개로 만난 남자와 결혼함. 여자친구는 남편의 가정폭력으로 현재는 이혼한 상태가 됨. 실험대상자는 본인의 선택으로 바뀌어 버린 상대의 운명에 좌절함. 다만, 본인과 결혼했다면 무엇이 달라졌을까 회의를 느끼는 모습을 보임.

3.4. 1년 후 인터뷰 결과

여전히 완전한 후회도, 완전한 만족도 보이지 않음. 본인 삶이 바뀐 것보다 상대의 삶이 바뀐 것에 대한 죄책감을 보임. 시간 여행을 후회하는 동시에 다시 한 번의 시간 여행을 요구함.

3.5. 소결

현실에 순응하고 상대의 미래를 위해 시간 여행을 선택한 경우, 가장 큰 변화가 발생함. 인간 간의 관계는 상호적이기 때문에 한 명의 판단으로 무언가 바꾸면 상대는 사건의 흐름에 휩쓸려 예기치 못한 관계를 맺게 됨. 미래를 위해 과거를 바꾸는 것은 어리석은 일이라고 판단됨.

이러한 인간에게 시간 여행 장치의 사용은 적합하지 않다고 사료됨.

4. 결론

세 결과에 의거, 시간 여행 장치의 실효성이 의심됨.

최은수의 사례에 의하면 이전의 삶을 기억하는 한 시간 여행은 무의미함. 새로운 삶을 얻어도 다시 또 다른 후회를 반복하게 될 것임. 이는 자신이 놓친 것에 집중하는 대부분 인간의 본능이므로 시간 여행에 중독되어 빠져나올 수 없게 됨.

정다영의 사례에 의하면 시간 여행이 존재한다는 사실 자체가 인간을 후회와 절망에 빠뜨릴 수 있음. 자신이 다른 선택을 할 가능성이 열려 있었음을 아는 것만으로도 인간은 무너질 수 있음.

황준성의 사례에 의하면 관계에서의 선택을 바꾸는 것의 위험성이 굉장히 높음. 만남과 헤어짐이 흘러가는 것은 당연하기에, 추억을 없애기 위해 만남 자체를 없애는 행위는 상대의 인생에 어떤 방향이 되었든 큰 영향을 미침. 만남을 통해 얻은 경험과 기억들이 시간이 지나면 앞으로 나아가기 위한 토대가 될 것임을 인간은 망각하고 있음.

따라서 현재 개발 중인 시간 개발 장치는 인간 유형과 관계없이 부정적인 영향을 미침.

일반 대중에게 사용될 경우 사회를 혼란에 빠뜨리고 인간은 뫼비우스의 띠에 갇혀 실수와 후회를 반복할 것으로 예상됨.

그러나, 세 대상자 모두 시간 여행을 재요구하는바, 인간은 필연적으로 시간 여행 장치에 기댈 수밖에 없는 존재임을 알 수 있음. 즉, 실효성은 의심되지만 필요성은 인정됨.

__2차 시험 운행을 예정대로 진행할 것.__

56.8%

유재희

유재희 이상을 꿈꾸는 현실주의자. 진짜 꿈은 저작권 등의 불로소득으로 먹고
사는 것이지만, 아직 평생을 먹고살 만한 파이프라인을 구축하지도, 여
러 갈래의 충분한 노력을 하지도 못한 상태여서 주위 사람들 앞에선 꿈
없는 척 살아가는 중이다. 현실의 문제에 집중하며 사회 고발적인 작품
을 좋아하고, '행복'을 인생 최고의 가치로 여긴다.

민아 씨가 자살했다. 그렇게 친하진 않았지만 오며 가며 인사하고 스몰토크 정도는 하면서 지냈던 같은 회사 직원이었다. 갑작스러운 소식에 놀라 퇴근 후 집에서 검은색 정장으로 갈아입고 서둘러 김해 식장으로 향했다. 빈소 앞에 도착하니 우리 팀 팀원과 옆 부서 팀원이 상기된 표정으로 서 있었다. 수많은 사람들 속에서 머리를 바닥에 박은 채 흐느끼는 울음소리가 새어 나왔다. 희끗한 머리에 상복을 입은 중년의 여자는 우리가 조문하러 빈소에 들어가니 이내 자세를 고쳐서 묵례를 했다. 민아 씨의 어머니로 보이는 그녀에게 같은 회사 동료라고 말씀드리니, 그녀는 꾹꾹 참았던 울음을 무너지듯 뱉어냈다.

"민아가 그 회사 계속 다니고 싶어 했는데……. 사람들도 좋고 일도 재밌다고 항상 씩씩하게 출근하던 애였는데……."

어깨를 들썩이며 우는 그녀 뒤로, 좌우로 고개를 흔들며 서 있는 한 남자아이가 혼잣말로 무어라고 중얼거린다.

"인풋, 아웃풋. 인풋, 아웃풋. 인풋을 넣으면 아웃풋이 나와요."

"어이!"

사람들로 붐비는 점심시간, 손님들의 대화 소리를 뚫고 누군가를 부르는 남자의 목소리가 들린다. 내가 뒤를 돌아보자 식당 창가 자리에 앉은 40대쯤으로 보이는 한 손님이 퉁명스러운 표정으로, 개를 부르듯이 멀리서 손을 까딱까딱하며 자리로 오라는 제스처를 취한다. 손님 자리로 가니 메뉴판에서 '이거, 이거.' 손가락으로 가리키며 짧은 말로 주문을 한다. 대다수의 손님들은 매너가 좋은 편이지만 가끔가다 예의가 없는 손님을 마주할 때가 있다. 이런 손님을 처음 봤을 때는 하루 종일 기분이 상해서 일을 하다가도 불쑥불쑥 욱할 때가 있었는데, 지금은 그러려니 한다.

작년에 아버지 사업이 망한 후 더 이상 학비 지원이 어렵다는 부모님 말에, 나는 휴학을 하고 등록금과 생활비를 벌기 위해 식당, 과외, 편의점 등 각종 아르바이트를 하고 있다. 처음엔 풀타임 근무로 최대한 돈을 벌어 놓고 복학까지 남은 몇 개월간은 자기 계발을 하려고 했지만, 대부분의 식당이 피크 타임에만 구인하는 탓에 아르바이트 자리를 구하기가 쉽지 않았다. 지금 일하는 식당도 피크 타임에만 일을 해서 버는 돈은 적지만, 아르바이트마저도 관련 경험이 있는 사람이 뽑히는 요즘 같은 세상에 이 정도면 운이 좋았다고 생각한다. 급격히 기울어진 가세에 부모님은 아버지의 고향인 강원도로 이사를 갔고, 중학생인 남동생은 교육 문제 때문에 일단 서울에 있는 친척 집에, 그리고 나는 학교 근처에서 혼자 자취를 하게 되었다. 월세 아깝다고 방학 때는 강원도 집에 와서 있으라는 엄마의 말에, 스터디원 구하거나 대외활동하는 것도 서울에서 하는 게 더 편하다고, 월세는 내가 벌어서 내겠다고 하니 엄마는 이내 수긍했다.

　중간중간 뛰면서 걸으니 어느덧 회색빛의 4층짜리 건물이 보인다. 계단을 걸어 3층으로 올라가 도어락 비밀번호를 누른다. 식당에서 집까지 도보로 20분 거리지만 오늘은 조금 서둘러 와서 15분도 안 돼서 도착했다. 현관문을 열자마자 덮치는 꿉꿉한 냄새에 재빨리 창문을 열었다. 창문 크기가 작아서 환기가 잘 되지는 않지만, 창문 없는 고시원에 살았을 때보다는 훨씬 낫다고 생각한다. 책상 위 거울을 보니 한껏 헝클어진 머리카락에 몰골이 초췌했다. 삐져나온 머리카락을 정리해 다시 질끈 묶고, 노트북을 켰다. 노트북 바탕화면에는 To Do List가 적힌 스티커 메모가 빼곡하다. 과외 수업 자료를 체크하며 취업 정보 사이트에서 현재 병행 가능한 대외활동이 있는지 확인해 보지만 마땅한 게 없다. 친구들은 지금쯤 영어 공부나 대외활동하면서 스펙 쌓고 있을 텐데, 그저 돈이 급해서 스펙이나 취업과 관련 없는 일을 하려니 내심 불안하다.

　휴대폰 시계를 본 후 2층 공유 주방으로 내려간다. 우리 고시원은 밥, 김치, 라면이 무료라서, 주로 무료 음식을 먹거나 간단히 요리를 해서 과외 가기 전에 저녁을 먹고 간다. 원두커피도 무료로 마실 수 있어서, 카페 가고 싶은데 돈 없을 때 여기서 커피를 내려서 자취방에 가서 공부할 때도 있다. 평소엔 라면으로 대충 끼니를 때울 때도 있는데, 오늘은 나 자신에게 그래도 좀 맛있는 것을 대접하고 싶어서 스팸을 넣은 김치볶음밥을 만들어 먹기로 했다. 김치볶음밥을 플라스틱

접시에 대충 담아 한 스푼씩 크게 떠서 입에 넣고 있는데, 멀리서 누군가가 걸어오는 발소리가 들렸다. 내 옆집에 사는 우리 학교 1학년 지원이었다. 우리는 과는 달랐지만 같은 학교라서 빨리 친해졌는데, 바로 옆집에 사는데도 최근에는 서로 바빠서 얼굴도 잘 못 보다가 오랜만에 마주친 거였다. 긴 생머리를 흩날리며 달려온 그녀는 내 손을 두 손으로 잡고 반갑다고 방방 뛰었다. 어디 가는 길이냐고 묻는 내 말에 그녀는 중간고사 공부를 하기 위해 독서실에 간다고 했다.

'아, 벌써 중간고사 기간이구나.'

무던히 흐르는 시간의 속도를 체감하며 남은 김치볶음밥을 입 안에 욱여넣었다. 콧등 아래로 살짝 내려온 검은색 뿔테 안경을 올리며 인사하는 지원을 뒤로 하고 나도 과외 갈 채비를 하고 고시원을 나섰다.

오늘 가는 학생네 집은 갈 때마다 간식을 다양하게 내줘서, 가끔은 가기 전부터 설레는 마음이 드는 집이었다. 학생이 사는 아파트 출입구에서 인터폰을 하고 엘리베이터 19층을 누른다. 아이보리색 목 폴라 티에 코코아색 니트 스커트를 입은 학생의 어머니가 현관문을 열고 반갑게 맞이해준다. 집에 들어설 때마다 나는 은은한 꽃향기와 화이트 톤의 깔끔한 벽지가 마음을 편안하게 해주는 집이었다. 50평 가까이 돼 보이는 평수에 통창 유리를 통해 보이는 야경이 제법 아늑했고, 바닥에 깔려 있는 대리석이 오늘따라 유난히 빛났다. 거실을 지나 안방 바로 옆에 있는 학생 방으로 들어간다. 학생 방에서도 좋은 향기가 나서 주위를 둘러보니 서랍장 위에 모 유명 향수 브랜드에서 나온 디퓨저가 놓여 있다. 학생에게 제품명을 물어보곤 휴대폰 메모장에

받아 적는다. 문제집을 2장 정도 풀고 있을 때 소리가 들린다.

'똑똑'

어김없이 비슷한 시간대에 학생 어머니가 방문을 두드리더니 과일과 쿠키가 담긴 접시를 들고 들어오신다. 학생 어머니는 내게 새로운 간식을 내줄 때면 가끔 이 브랜드가 어떤 제품인지 설명해 주기도 하는데, 오늘 내온 수제 쿠키는 압구정 백화점에서 사 온 거라고 했다. 샤인 머스캣과 망고가 가지런히 놓인 접시의 가장자리 골드 빛 포인트가 눈에 띄었다. 브랜드에 대해 잘 모르는 사람이라도 이 접시가 얼마나 유명하고 비싼 제품인지 단번에 알 만한 고급스러운 접시였다.

수업이 끝난 후 돌아온 집엔, 아까 바쁘게 나가느라 미처 정리하지 못한 이불이 아무렇게나 구겨져 있었다. 사방으로 펼쳐진 이불 속에 피곤한 몸을 구겨 넣고 잠이 든다. 스산한 기운이 느껴지는 2평 남짓한 방 창가엔 달빛이 조용히 비추고 있었다.

며칠 후 돌아온 주말, 오늘은 왠지 기분 전환을 하고 싶어서 오랜만에 아이섀도와 마스카라, 블러셔까지 바르고, 갖고 있던 옷 중 가장 비싸고 내가 아끼는 옷을 입고 백화점으로 향했다. 나는 이리저리 주위를 살피다 백화점 1층에 있는 한 향수 브랜드 매장에 들어갔다. 저번에 과외 학생이 알려준 디퓨저 브랜드 매장이었다. 여러 가지 디퓨저 향을 맡고 있으니 매장 직원이 다가와 찾고 있는 제품이 있냐고 물었고, 내가 말한 제품을 찾아서 곧 내게 건네주었다. 그 제품을 코 앞으로 가져와 몇 번이고 향기를 맡아보았다. 생화 향 같기도 하고 풀냄새 같기도 하면서 우디 향이 적절하게 조화된 향이었다. 직원에게 가격을 물어보니 138,000원이라고 했다. 금액을 듣고 놀라 디퓨저를 얼른 내려놓고, 다른 제품을 구경하는 척 둘러보다가 매장을 빠져나왔다. 매장 이곳저곳을 둘러보다가 식사 때가 되어 지하 1층 푸드 코트에 갔다. SNS에서 유명한 빵집과 맛집 등 눈에 익은 브랜드들이 사이사이로 보였다. 무엇을 먹을까 고민하다가, 주말이라 붐비는 사람들로 정신 없고 앉을 자리도 마땅치 않아서 유유히 그곳을 빠져나왔다.

이 동네는 내가 자주 오는 곳이 아니라 지리를 잘 몰라서, 휴대폰으로 근처 맛집을 검색해 보곤 발길을 돌렸다. 걸은 지 얼마 안 돼서 나온 세 번째 골목길을 꺾어서 한 분식집에 들어갔다. 내가 자주 가는 프랜차이즈 분식집이었다. 습관처럼 늘 먹던 메뉴를 주문하고 테이블 위에 있던 물통을 들어 따라 마셨다. 몇 분 뒤에 주문한 메뉴가 나왔다. 윤기가 흐르는 떡볶이와 야채 김밥이 꽤 먹음직스러워 보였다. 미리 세팅해 놓은 수저로 떡볶이와 김밥을 집어 들었다. 늘 먹던 메뉴고 아는 맛이라 틀림없이 맛있을 거란 걸 알기 때문에, 두 메뉴가 입속에 들어와 익숙한 맛을 내자 이내 안심이 되었다. 난 역시 여기서 밥 먹는 게 마음이 편했다.

식사를 끝내고 길거리를 걷다 보니 북적거리는 사람들 사이로 플리마켓 매대가 펼쳐져 있었다. 여러 물건을 구경하다 내 발길이 멈춘 곳은, 유명 향수 브랜드의 향기를 카피해 만든 디퓨저를 파는 곳이었다. 그곳엔 내가 조금 전 백화점에서 사려고 했던 디퓨저의 향기를 본떠 만든 제품도 있었다. 약간 알코올 냄새가 섞여 나긴 했지만 정품 브랜드 향과 제법 비슷했다. 12,000원이라고 적혀 있는 그것들 중 하나를 사서 나는 집으로 돌아왔다.

몇 주가 흐르고 여느 때와 같은 금요일이 되었다. 오늘은 식당, 과외, 편의점까지 3개의 아르바이트를 소화해 내야 하는 날이다. 앞의 2개 일정이 정신없이 끝나고 이제 편의점 야간 파트 타임 하나만 남았다. 과외가 오후 9시에 끝나서 집에 들르면 늦기에 오늘 같은 날은 과외 끝나고 바로 편의점으로 향한다.

'딸랑'

문을 열 때 나는 종소리와 함께 한 손님이 들어왔다. 그 손님은 담배를 달라고 하더니 동전을 던지듯이 계산대 위에 올려놨다.

"세어봐."

약간 꼬부라진 발음으로 손님이 나를 위로 한 번 훑겨보더니 이내 시선을 아래에 두고 건들거리며 서 있는다. 50원, 100원, 500원이 섞인 동전을 하나하나 세고 있으려니 열이 확 오르지만 여기서 화를 낼 수도 없으니 꿋꿋이 동전을 세어 현금함에 넣는다.

'딸랑'

20대로 보이는 남자 손님이 들어온다. 그 손님은 진열대를 이곳저곳 기웃거리더니 과자 몇 봉지와 콘돔을 계산대에 올려놓는다. 과자 바코드를 다 찍고 콘돔을 찍으려는데, 그 손님이 검지 손가락으로 콘돔 상자 위를 딱딱 여러 번 치면서 나를 음흉한 표정으로 올려다보고 있었다. 손님 손 밑에서 콘돔을 뺀 후 바코드를 찍고 그에게 건네주었다.

'딸랑'

이번에는 앳되어 보이는 남학생 1명과 여학생 2명이 들어왔다. 그들은 과자와 젤리, 소주 3병을 골라서 계산대로 가져온다. 딱 봐도 학생 같아서 주민등록증을 보여 달라고 했다. 남학생이 건넨 주민등록증은 주민등록번호 앞자리가 묘하게 삐뚤빼뚤했고 사진도 다른 사람 같아서, 남은 두 학생한테도 신분증을 달라고 했다. 두 여학생은 신분증 집에 놓고 왔다고, 우리 성인 맞으니까 그냥 결제해 주면 안 되냐고 물었고, 나는 미성년자한테 술 팔면 영업정지라 신분증 검사는 필수라고 안 된다고 했다. 그러자 세 학생은 표정이 싹 굳더니 물건을 제자리에 갖다 놓지도 않고 욕을 중얼거리며 나갔다. 하, 평소엔 빌런들이 이렇게 연달아 온 적은 없었는데, 출근한 지 얼마 되지도 않아서 등장한 연이은 빌런들의 모습에 머리가 어지러웠다.

아침에 눈을 떴는데 평소와 다르게 개운하길래 휴대폰 시계를 봤더니 오전 9시다. 알람을 오전 7시에 맞춰 놨는데 못 듣고 잤나 보다. 꿈에서도 빌런들한테 시달렸는데, 그래서인지 잠을 평소보다 오래 잤는데도 몸이 찌뿌둥하다. 영어 회화 유튜브 영상을 틀어 놓고 공부하다가 슬슬 출출해져 뭘 먹을까 고민한다. 고시원에서 제공해 주는 라면으로 대충 끼니를 때울까 하다가 오늘은 누군가가 만들어 준 음식을 먹고 싶어서 나가기로 결심한다. 오랜만에 옷장에 걸려 있던 과잠을 꺼내 입고 밖으로 나간다.

정처 없이 걷다가 내 발길이 닿은 곳은 길거리 떡볶이집이었다. 떡볶이 1인분을 시켜서 먹고 있는 나에게 사장님이 말을 걸어왔다.

"학생, 우리 집 자주 오는데 이 근처 S대학교 다니는 학생인가 봐?"

떡볶이가 입 안에 있어 뭉개지는 발음으로 고개를 끄덕이는 나에게 그녀는 말을 이어갔다.

"아유, 부모님 너무 좋아하시겠다. 우리 딸은 이제 고2인데 공부할 생각이 없어. 우리 딸도 학생처럼 공부 잘하면 너무 좋겠다. 비결이 뭐야?"

"교과서만 보고 공부…… 하면 안 되고 과외하고 학원 다니시면 돼요."

나를 치켜세워주는 그녀의 말에 나도 약간은 기분이 좋아져서 장난스럽게 받아쳤다. 사실 이런 반응을 내심 기대하고 있어서 과잠을 입고 나가는 것이기도 하다. 새내기 신입생도 아니고 심지어 휴학생이 과잠을 입고 다니는 것을 보고 누군가는 오버 떤다고 생각할 수 있지만, 가끔 부모님 나이대나 중장년층 이상의 어르신들이 과잠에 적힌 학교 이름을 보고 칭찬을 해줄 때면 나도 모르게 어깨가 펴지기도 한다. 이 과잠은 내가 그동안 열심히 살아왔다는 증거이자 내가 아르바이트 할 땐 무시당하고 온갖 조롱을 겪어도, 사회에선 인정받는 대학에 다닌다는 것, 그리고 '나 이 정도는 되는 사람이야.' 하고 보여줄 수 있는 것이기에, 내가 유난히 지치는 날이나 자존감이 낮아질 때 가끔 입곤 한다.

짧은 식사를 마치고 자취방으로 돌아와 보니 어디선가 이상한 냄새가 난다. 냄새의 경로를 쫓다 보니 책상 선반 위 디퓨저가 보였다. 디퓨저 향을 코 가까이에 대고 맡아보니 이전과는 다른 냄새가 났고, 시간이 갈수록 점점 썩은 내가 나서 산 지 한 달도 안 돼서 버리게 되었다.

어느덧 복학이 코앞으로 다가왔고 통장 잔액을 보니 2천만 원 초

반대의 금액이 찍혀 있었다. 복학 후에도 모자란 생활비는 틈틈이 단기 아르바이트를 하며 채웠고, 시간은 부지런히 흘러 나는 학점 평점 4.1점, 토익 970점, 토익 스피킹 레벨 7, 오픽 IH, 대기업 체험형 인턴 1회, 대기업 서포터즈 1회, 공모전 연합동아리 1년, 공모전 수상 3회, 컴퓨터활용능력 1급, 한국사 자격증 1급, 봉사활동 100시간 등의 이력으로 휴학 1년을 포함한 총 5년간의 대학 생활을 마쳤다.

대학교를 졸업하고 나서는 나도 서울의 월세와 생활비가 부담스러워서 본가에 가 살기로 했다. 원주역에서 버스로 30분 거리에 있는 붉은색 벽돌의 빌라가 우리 집이다. 인터넷 부동산 매물 지도에서 찾아보니 전세가 4,500만 원 정도 되는 것 같았다. 햇빛도 잘 들지 않는 18평짜리 집에 들어서면 집안 곳곳에 배어 있는 퀴퀴한 냄새가 내 코를 찌른다. 오랜만에 보는 부모님은 그동안 잘 지냈냐는 짧은 안부 인사 후에 취업 준비는 잘 돼 가냐고 묻는다. '취업'이라는 단어가 문장에 섞여 있을 땐 부모님의 잔소리가 길어질 게 뻔하기에 대충 얼버무리고 방으로 들어간다.

상반기 대기업 공채 시즌에 넣은 서류 30개 중 9개는 붙었고, 그중 3개는 인적성 검사에서, 4개는 1차 면접에서, 2개는 최종 면접에서 떨어졌다. 하반기 공채도 도전하고 싶었지만 엄마 친구 아들은 S전자 붙었다던데 너는 언제 취업할 거냐, 아빠는 뭐든지 잘했던 우리 큰딸에 대한 기대가 크다는 식의 부모님의 잔소리 압박을 견디기 힘들었고, 마음이 조급해지는 와중에 결국 한 대기업의 6개월짜리 채용 전환형 인턴에 합격해 다니게 됐다.

광화문에 위치한 28층 규모의 큰 사옥의 웅장함에 입을 벌리고 바라보다가 곧 건물 안으로 들어갔다. 인사 담당자의 안내대로 22층 사무실로 올라갔고, 우리 팀 인턴사원은 나 포함 총 3명이었다. 직장에서 사람 때문에 스트레스받는다는 직장인들의 경험담을 많이 들어서 내심 나도 이상한 사람을 만나지 않을까 걱정했지만, 다행히 우리 팀은 사람들도 좋고 선배들도 일을 잘 알려줘서 적응하기 수월했다.

오늘은 근처 호텔에서 회사 행사가 있어서 평소보다 업무를 일찍 마치고 동료들과 행사 장소로 향했다. 입사 후 첫 행사라 괜히 차려입고 싶어서, 오랜만에 아끼는 베이지색 셋업 슈트를 입고 갔다. 건물 유리에 비친 사원증은 목에 건 내 모습이 꽤나 '진짜 직장인' 같았다.

연회장에서 우리 팀 테이블에 착석해 동료들과 얘기를 나누고 있는데, 저 멀리서 낯익은 여자가 걸어왔다. 그녀와 눈이 마주친 순간 나를 알아봤는지, 당혹스러워하는 그녀의 표정을 읽을 수 있었다.

그녀와 처음 만난 건 내가 휴학했을 당시 공장에서 단기 아르바이트를 했을 때였다. 공장 직원이었던 그녀는 새로운 아르바이트생이 들어오면 텃세를 부리고 다니기로 유명했다.

"야, 너 S대 나왔다며? 인서울 대학까지 나온 애가 여기서 이러고 있으면 부모님 속상해서 어떡해?"

"S대 나왔으니까 여기서 잠깐 돈만 벌다가 곧 나가겠네. 너도 내가 우스워?"

라며 따로 친밀한 대화를 나눈 적도 없는데 내 학교는 어떻게 알아냈는지, 혼자 이상한 소리를 내 얼굴에 대고 내뱉고 간 적이 간혹 있었다. 이 사람이 나한테 왜 이러나 싶어서 기억을 되짚어 보니, 시비가 시작된 날 즈음에 내가 공장에서 학생증을 잃어버린 적이 있었다.

하루는 같은 과 동기를 만날 일이 있어서 학교에 갔는데, 그녀를 캠퍼스 내에서 마주쳤다. 그녀가 우리 학교에 올 일이 없을 텐데 이를 의아하게 생각하다가 그녀의 손을 보니 내 학생증이 들려 있었다. 내가 다가가자 그녀는 당황해하며, 내가 단기 아르바이트생이라 언제 근무하러 올지 몰라서 학생증을 돌려주러 학교에 찾아왔다는 식으로 횡설수설한 말을 늘어놓았다.

학생증을 돌려받고 동기를 만났는데, 동기가 희한한 소리를 했다. 얼마 전에 학교 도서관에 공부하러 갔는데, 어떤 여자가 책도 안 펴놓고 주위를 두리번거리는 게 이상해서 다가갔더니 책상 위에 내 학생증이 올려져 있었다는 것이다. 그녀에게 이 학생증 본인 거 맞냐고 물었더니 당황하며 급하게 자리를 떴다는 게 동기의 설명이다. 그녀의 행동에 어이없었지만, 내가 워낙 이해할 수 없는 사람이라 굳이 찾아가서 따져 묻지는 않았다.

그렇게 그녀와 마지막으로 본 후 3년 만에 호텔에서 다시 마주치게 된 것이다.

우리 테이블에 서빙을 해주던 그녀가 포크를 내 발 근처에 떨어뜨렸다. 평소의 나였다면 그 상황에서 포크를 주워 종업원에게 건네주었겠지만, 나는 발 근처에 있는 포크 끝을 살짝 밟은 후 가만히 있었다. 포크를 주우려 허리를 숙여 앉은 그녀는 죄송하다는 짧은 말과 함께 내 발밑에 있는 포크를 약간 힘을 주어 빼내었다. 그 순간 묘한 우월감이 들었다. 난 아직 인턴사원이지만 회사 동료들과 함께 앉아 있는 이 순간만큼은 내가 이 회사에 '진짜' 소속된 정규직이 된 것 같은 착각이 들었다.

내가 묘한 기분에 젖어 있을 때 팀장님의 목소리가 들렸다.

"요즘 MZ세대는 오마카세 가게 가서 밥 먹는다며? 난 돈 없어서 그런 거 못 해."

"팀장님 돈 많지 않으세요? 취업 정보 앱 보니까 저희 회사 팀장급은 연봉 1억 넘는다고 하던데."

"말이 좋아 1억이지 세금 떼면 월 650만 원에, 요즘 서울 집값 기본이 10억인데 경조사비 포함해서 최소 생활비 120만 원이라고 쳐도, 적어도 16년은 일해야 집 하나 겨우 구하는 게 현실이야. 거기에 애들 영어유치원, 학원비, 대출 이자, 보험료, 공과금 내면 얼마 남지도 않아. 민정 씨는 웬만하면 결혼하지 마. 아니, 하더라도 애는 낳지 마."

팀원들의 얘기를 듣다가 나도 내 인생에 대입해 본다. 결혼은 구체적으로 생각해 본 적 없지만 아기는 좋아해서 낳고 싶었는데. 하긴, 요즘엔 자식 하나 대학교 입학할 때까지 키우는 비용이 5억 가까이 된다고 하던데, 그 큰 금액을 생각하면 결혼과 출산은 먼일처럼 느껴진다.

시간은 빠르게 흘러갔고 남은 인턴 근무 기간이 짧아질수록 불안감이 조금씩 엄습해 왔다.

"수진 씨는 그래도 스펙 좋아서 정규직 전환될 거야."

내 불안감을 눈치챈 듯한 선배의 말에 나는 웃으며 답했다.

"제 스펙이면 흔하지 않나요?"

"우리 회사에 스펙 좋은 사람은 많지. 그런데 요령 안 피우고 정말 성실하게 일하는 사람은 의외로 드물어. 수진 씨는 주변 사람들이 봐도 전부 인정할 정도니까 충분히 승산 있을 거야."

"수진 씨 일 열심히 하는 거 복사기도 다 알아."

나를 북돋아 주는 또 다른 선배의 말에 소란했던 마음이 조금은 차분해졌다.

싹트는 불안감을 억누르며 여느 때와 같이 업무를 하고 있는데, 친하게 지냈던 옆 부서 직원이 메신저로 믿지 못할 말을 했다. 옆 부서에서 같이 일했던 민아 씨가 자살했다는 거였다. 장례식장에 도착했을 때 민아 씨의 어머니로 보이는 중년의 여자는 그동안 얼마나 울었는지 한껏 지쳐 보였고, 그녀의 뒤에는 초점 없는 눈으로 고개를 갸우뚱거리며 혼잣말을 하는 한 남자아이가 서 있었다.

"인풋, 아웃풋. 인풋, 아웃풋. 인풋을 넣으면 아웃풋이 나와요."

그녀에게 조의를 표하며 같은 회사 동료라고 말씀드리니, 어디 하소연할 데가 없었는지 한참을 목 놓아 울다가 이내 가족사에 대해서도 얘기해 주셨다.

민아 씨의 아버지는 대장암 말기라서 현재 병원에 입원해 있고, 어머니는 청소 일을 하셨지만 교통사고가 난 후 잠시 일을 쉬고 계시고, 장례식장에서 어머니 뒤에 있던 남자아이는 민아 씨의 동생인데, 지체 장애인이라 민아 씨가 실질적 가장 역할을 했다고 한다. 우리 회사에서 계약직으로 일했던 민아 씨는 계약 기간이 만료되고 정규직 심사에서 떨어진 날, 건물에서 뛰어내려 스스로 목숨을 끊었다고 한다. 많이 친하진 않았지만 회사에서 항상 밝고 긍정적인 모습이었어서 민아 씨의 선택이 믿기지 않았다.

민아 씨가 죽은 후로 한동안 어딘가 불편한 마음으로 회사에 다녔는데 정말 웃기면서 무섭게도, 한 달쯤 지나니까 비쁜 일상에 지나 민아 씨가 죽었다는 사실조차 희미하게 지워져 갔다.

인턴 기간이 끝난 후 정규직 전환 심사 면접에서 떨어진 나는 다시 취업 준비생 생활로 돌아갔다. 건너 들은 얘기로는 우리 팀 인턴사원 3명 중 1명만 정규직 전환이 됐다고 한다. 그 한 명이 회사 임원의 아들이라는 소문이 돈다는데, 진위 여부는 밝혀지지 않았다고 한다.

내 예상과는 다르게 취업 준비 기간은 점점 길어졌고, 서류 합격률은 나이가 들수록 떨어졌다. 대기업 신입 공채는 줄어들고 경력직 모집 공고가 많아졌다. '경력 있는 신입'이라는 아이러니한 명사구도 자연스럽게 받아들여지는 사회였다.

오늘도 부모님 눈치 보면서 밥 먹고 있는데 TV 뉴스 소리가 들렸다.

"20대 공무원이 극단적 선택을 했다는 소식입니다. 지난 2021년 통계 자료에 따르면 우리나라 20대 사망 원인 1위는 자살로, 그 비율

이 56.8%에 육박합니다.”

TV에서 흘러나오는 뉴스를 듣고 나는 '얼마나 힘들었으면 자살했을까. 더 나은 선택지는 없었을까.'라고 생각했는데, 엄마는 나와는 조금 다른 반응이었다.

“아휴, 젊은 사람들이 왜 스스로 목숨을 끊어. 힘들면 이직하면 되지. 부모님은 자식 공무원 됐다고 좋아하셨을 텐데 얼마나 안타까우실까.”

글쎄. 자식이 공무원 된 걸 자랑스러워하고 좋아했던 부모님에게 공무원을 그만두겠다고 당당히 말할 수 있는 용기를 내기가, 그 사람에겐 어려웠던 것 아닐까. 본인의 삶을 스스로 포기하는 선택을 하기까지 그 사람이 감내해야 했던 고통은 감히 헤아릴 수 없기에, 우리는 그 누구의 죽음에 대해서도 함부로 말해선 안 된다.

“애, 김수진. 다른 집 자식들은 죄다 대기업에, 은행원에, 변호사에, 내로라하는 회사 잘만 다니던데, 넌 언제 취업할 거니? 머리도 좋고 공부도 잘하던 애가 뭐가 모자라서 이러고 있어.”

예상했던 잔소리를 듣고 반찬 아무거나 집어서 남은 밥과 함께 입안에 급히 쑤셔 넣었다.

방으로 돌아와 노트북을 켜고 채용 결과 메일을 확인한다. 빨간색 글씨의 불합격이라는 단어가 익숙해질 때도 됐는데 좀처럼 덤덤해지기 힘들다. 나는 '귀하의 역량은 뛰어나나'로 시작하는 문장이 참 싫다. 내 역량이 그렇게 뛰어난데 왜 불합격시키는 거래. 참 나.

실망스러운 마음을 스스로 다독이며 우연히 책장 위를 올려다보니 한 파일이 눈에 들어온다. 파일을 꺼내 봤더니 그 안에는 내가 초등학교 때부터 대학생 때까지 받았던 상장들이 들어있다. '내가 이런 상장도 받았었구나' 싶은 기억조차 나지 않는 노력의 흔적들이 그 안에 고스란히 담겨 있었다. 하지만 60개가 넘는 상장들도 취업 앞에선 큰 힘을 발휘하지 못했다.

가혹하다 싶을 정도로 빠르게 흐르는 시간은 내 나이를 공백기 동안 두 번이나 바뀌게 했고, 공인 영어 시험 성적이 만료되어 난 또다시 시험 접수를 했다. 그새 시험 응시료가 올라 토익 48,000원, 토익 스피킹과 오픽은 각각 84,000원이 됐고, 부담스러운 금액에 토익과 스피킹 시험 중 범용성이 더 높은 오픽을 선택했다. 스펙을 쌓는 것도 돈이 드는 일이다.

자식의 모습이 답답했던 엄마는 참다못해 이제는 대기업 가라는 소리 안 할 테니 중소기업이라도 들어가서 돈 벌라고 했다. 수많은 불합격 소식에 지쳐 있던 차에 한 중소기업에서 면접 보라고 연락이 왔다.

인사 담당자에게 안내받은 대로 불투명한 유리로 된 회의실에서 10분 정도 대기를 하고 있는데, 두 명의 면접관이 들어왔다.

"학벌이 좋은데 우리 회사 말고 어디 지원했어요? 우리 회사 붙으면 다닐 거예요?"

"우리 회사 대졸 초임이 3,000만 원인데, 그것보다 적게 준다고 하면 다닐 건가요?"

"우리 회사가 왜 김수진 씨를 뽑아야 하죠?"

면접관은 기선 제압이라도 하려는 듯 매서운 눈빛으로 따지듯이 물었다. 압박 면접이라기보다 다그치는 것에 가까웠던 면접이었다. 둘 다 나를 딱히 마음에 들어 하지 않는 것 같아서 떨어졌을 거라고 생각했는데, 3일 만에 연락 와서는 언제부터 출근할 수 있냐고 물었다.

그렇게 나는 약 2년 만에 서울의 한 중소기업에 취업할 수 있었다.

첫 출근 날 인사 담당자가 말해주기를, 이 회사는 '○○씨' 대신 직급 상관없이 이름 뒤에 '님'을 붙이는 수평적인 문화를 지향한다고 했다. 또 이 회사는 대기업이 아니라서 고졸, 대졸 직원 업무가 따로 나뉘어져 있지 않고, 학력에 상관없이 같은 업무를 맡게 될 수도 있다고 했다.

내가 입사한 지 며칠 되지 않았을 때, 내 옆자리에 앉아있던 직원이 안 보였다. 내 앞자리에 앉은 직원이 그분 오늘 퇴사했다고 알려줬다.

"요즘 애들은 근성이 없어. 먹고살 만한가 봐. 배고픈 걸 알면 그만두고 싶어도 못 그만두지."

우리 팀 김 과장이 한심하다는 듯 말한다.

얼마 후에 또 신규 직원 면접을 본 모양이다.

"캬. 우리 회사에 이제 인서울 4년제 출신들도 많이 지원한다니까? 우리 회사를 알아보는 사람들이 이렇게나 많은데, 여기 앉아 있는 애들만 몰라!"

김 과장이 직원들 들으라는 듯이 말한다.

하루는 대표가 내 책상 뒤를 지나가다가 "수진 님, 'ROI'가 뭐의 약자인 줄 알아?" 하고 묻길래 'Return On Investment'라고 답했다. 내가 답하자마자 내 주위에 앉은 직원들이 '오' 하는 추임새와 함께 엄지를 치켜세웠다.

"역시 대졸자라서 그런지 알긴 아네. Return On Investment. 그런데 우리 직원들은 Investment를 해줘도 돌아오는 게 없어. 도대체 언제 Return 할 거야. 하하하."

대표의 말에 직원들의 표정이 일그러지자 이내 그는 농담이라고 웃으며 자리를 떴다.

업무를 하며 직원들과 조금씩 친해지자 이런저런 잡담을 하다가 내가 취업 준비 관련한 얘기를 꺼냈다. 한 직원은 여기는 고졸 사원이 많아서 토익 점수 없는 사람이 훨씬 많을 거라고 했다. 참 신기했다. 나 다시 시작된 취업 준비로 10만 원이 넘는 토요 들에서 토익, 오픽 점수를 갱신했는데, 여기선 내 영어 점수가 아무짝에도 쓸모없다는 게, 물이 가득 찬 5kg짜리 양동이를 몇 번이나 왔다 갔다 하면서 독에 채워 넣었는데 알고 보니 밑 빠진 독이었다는 걸 뒤늦게 알아차린 것처럼 허무했다. 인턴이나 대외활동을 하더라도 토익 점수가 필수거나 우대사항이고, 대학교 졸업할 때에도 토익 점수가 필요한데, 토익을 한 번도 공부해 본 적 없다는 직원의 말이 신선하게 들리기까지 했다. 고등학교만 졸업하고 취업을 할 수 있다는 생각을 한 번도 못 해봤는데, 오히려 내 외국인 친구들이 더 친밀하게 느껴질 정도로, 그들은 나와 다른 나라에서 살아온 사람 같이 느껴졌다.

약간의 이질감을 느끼며 회사에 다니고 있을 때쯤 새로운 대졸 직원이 입사했다.

"수진 님은 여기 어떻게 알고 지원했어요?"

"취업 사이트 보다가 우연히 공고 보고 지원했어요. 쇼핑몰 쪽 업무가 나중에 커리어에 도움 될 것 같아서요. 승한 님은요?"

"상반기 공채 최종 면접에서 떨어지고 저도 취업 사이트 보다가 공고 있길래 자소서 미리 써놨던 거 복사해서 냈는데 붙어서 왔어요. 여기는 중소기업인데 신입 연봉 5천만 원까지 준다고 쓰여 있길래."

"5천만 원이나 준대요? 저한테는 면접에서 3천만 원 준다고 했는데."

"몰라요. 공고에 신입 연봉 3천만 원~5천만 원이라고 쓰여 있어서, 면접에서 저한테 얼마 받고 싶냐고 물어봐서 5천만 원 받고 싶다고 했더니, 일단 일하는 거 봐서 올려준다던데요?"

그 직원과 친하게 지내며 회사 생활은 점점 익숙해져 가는데, 이상하게 업무가 불어나기 시작했다. 나는 마케팅 기획 직무로 입사했는데 갑자기 포토샵 할 줄 아냐면서 디자인 업무도 맡게 되고, 심지어 CS 업무까지 추가됐다. 이건 아니다 싶어서 사수에게 말해봤지만, 사수는 조금만 더 버티면 인사팀에서 월급 올려줄 거라는 말로 나를 회유했다. 주 5일 근무 중 주 5일을 야근수당도 없이 근무했던 나였지만, 그때는 사수의 말이 진짜일 거라고 믿었다.

하루는 나이가 지긋한 목소리의 한 진상 고객에게 전화가 왔다. 1,500원짜리 물건을 샀는데 마음에 들지 않아 반품하고 싶다기에 변심 반품 택배비 6,000원을 달라고 하니 그 할아버지는 미친 듯이 화내며 폭언을 퍼부었다.

"욕먹으니까 기분 나빠? 네가 그러라고 그 자리에 앉아 있는 거야.

욕 처먹으라고! 공부 잘했으면 그 자리에 안 앉아 있을 거 아냐! 그러게 누가 공부 안 하래?"

남에게 상처 주기 위해 태어난 사람처럼 그 할아버지는 가슴에 꽂히는 무례한 말을 아무렇지 않게 쏟아냈다.

'내가 이 회사에 오지 않았더라면 평생 이런 일 겪지도 않았을 텐데……'

후회와 함께 눈물이 차올랐다.

그날도 저녁도 안 먹고 야근하느라 일이 오후 9시에 끝났다. 퇴근길에 휴대폰을 보는데 승한 님에게서 문자가 와 있었다.

"수진 님, 전 더 못 하겠어요. 먼저 퇴사합니다. 수진 님도 얼른 탈출하세요!"

한 달도 안 돼서 승한 님은 사라졌고, 심적으로 의지했던 동료가 없어지니 퇴근길 발걸음이 더 무거워졌다.

내가 20대 후반이 되니 슬슬 선배나 친구들의 결혼 소식이 들려온다. 오랜만에 예쁘게 차려입고 간 결혼식장에는 내로라하는 기업의 이름이 적힌 화환이 복도를 가득 메우고 있었다. 오랜만에 본 친구들은 내가 알던 사람이 맞나 싶을 정도로 세련된 정장 차림에, 6~700만 원은 하는 명품백을 하나씩 들고 있었다. 백화점에서 정가 50만 원에 파는 가방을 인터넷에서 50% 할인할 때 싸게 잘 샀다고 좋아했던 내 모습이 부끄러워 황급히 가방을 뒤로 숨겼다.

결혼식이 끝나고 친구들과 식사를 하며 서로의 근황을 묻는다. 의사, 변호사 같은 전문직이 된 친구도 있었고, 금융권에 취업한 친구도 있었고, 대부분 이름만 들으면 알 만한 대기업이나 공기업에 다니고 있었다. 넌 뭐 하고 사냐는 친구들의 물음에 나는 그냥 회사 다닌다고 얼버무렸다. 서로의 직업을 알게 되니, 친했던 친구들이 왠지 불편하게 느껴졌다.

친구들의 모습에 자극받고 나도 더 열심히 살고 싶어서 SNS에서 유행하는 '갓생 살기', '미라클 모닝' 같은 걸 따라 해본다. 아침 일찍 일어나 출근하기 전에 헬스장에서 운동을 하고, 퇴근 후에는 코딩 공부도 하고, 나름대로 열심히 살아보려 하지만 같은 회사 과장님은 내가 쓸데없는 일을 하고 있다고 생각하는지 다 부질없다는 식으로 말한다.

"뭐 하러 그렇게까지 열심히 살아. 그냥 대충 살아. 어차피 여기서 벗어나기 힘들어."

열과 성을 다하는 법만 배웠지, 열심히 하지 않는 법은 배워보지 못했는데. 혼란스러웠다. 내가 이 회사에 있는 게 맞나 하는 생각이 자꾸 든다.

고등학교 때까진 노력하는 만큼 결과가 나왔다. 공부하면 좋은 성적을 얻을 수 있었고, 주위 사람들의 칭찬과 격려가 당연했다. 공부만 열심히 해서 좋은 대학에 가면 성공할 거라는 어른들의 말에 다른 꿈은 꿀 겨를도 없이 대학만 바라보며 달려왔는데, 현재의 나는 그저 아무도 알아주지 않는 회사에 다니는 세후 월 220만 원짜리 직장인일 뿐이다. '노력'이라는 인풋을 넣으면 '성공'이라는 아웃풋이 나왔던 과거와 달리 지금은 모든 사람이 노력하지만 모두가 성공하는 것은 아니다. 인풋과 아웃풋의 괴리는 맨틀과 외핵의 경계처럼 분명해 보였고, 내 안에서 울려 퍼지는 소름 끼치는 굉음이 균열을 일게 했다.

어김없이 수능 시즌은 다가오고, 또 어김없이 성적을 비관한 수험생의 자살 소식은 들려온다.

편의점에 가보니 내가 자주 먹던 1,900원짜리 커피가 어느새 2,900원이 되어 있었다. 예전에는 내가 하나만 주고 얻을 수 있었던 것을, 지금은 두 배는 줘야 얻을 수 있다.

횡단보도에 서 있는데 어디선가 나타난 조명이 나를 비춘다. 중학생 때 좋아했던 가수의 콘서트장 조명처럼 화려하다. 홀린 듯이 내딛는 걸음에 점점 커지던 불빛은 나를 덮치고, 나는 하늘을 난다. 높이, 높이…….

- 끝 -

가슴 깊이 사랑한다

박은영

박은영 소소한 일상에서 글의 씨앗을 찾고 글을 쓰는 과정이 글꽃으로 성장하
길 바란다. 인생 파도를 타며 내면이 단단해지고 사람의 마음을 바라보
는 글꽃으로 정원을 만들고 싶다. 나의 정원을 바라보는 당신에게 행복
한 일상을 선물합니다.

email : mother20-1@hanmail.net

조명이 켜지고 무대 막이 서서히 내 발을 비추며 올라갔다. 나를 비추는 조명은 눈부시게 반짝반짝 빛났다.

인생 무대에 선 나는 스무 살이다. 근심 걱정 없고 행복 바이러스가 가득한 스무 살이다. 대학 생활을 시작했고 하고 싶은 것이 많은 스무 살이다. 앞으로의 삶을 상상하며 머릿속에 그림 그리는 것을 좋아하는 스무 살이다.

'마흔이 오기나 할까?' 그때는 먼 인생 무대를 실감하지 못한 채 행복한 순간마다 나의 관객을 초대하며 상상의 공연을 펼쳤다.

대학 졸업과 함께 취업을 했고 결혼을 했다. 두 아이가 성장하면서 '지금 내가 어떻게 살아가고 있는지?' 이야기하고 싶었다.

"지금은 여유가 조금 생겼으며 가정 생활도 직장 생활도 만족하며 행복하게 잘 살아가고 있다."라고 이야기하던 중 갑자기 조명이 꺼지고 무대 커튼이 내려왔다.

이야기를 듣던 나의 가족, 친구, 직장 동료이자 가까운 지인들에게 설명할 시간도 없이 인생 공연이 중단되었다.

아주 오랜 시간 동안 암전 상태는 계속되었다. 무대에 주저앉은 나는 깊은 동굴 속으로 들어갔다.

몸은 밖에서 생활하고 마음은 동굴 속에서 사는 이중생활이 시작되었다. 시간이 지나면서 몸과 마음이 따로 움직이며 살아가는 나의 이중생활을 주변 사람들은 눈치를 챘다.

살다 보니, 인생 계획에 없던 뜻밖의 일은 좋은 일, 나쁜 일, 가리지 않고 언제 어디서나 누구에게 어떻게 발생할지 예감하거나 대비하기 어려운 일임을 알게 되었다.

이 뜻밖의 일은 40대를 준비하던 나에게 찾아왔고 좋은 일이 아니다. 이제 10년 전 일어났던 나의 뜻밖의 일을 이야기해 보려 한다.

아직 무대도 조명도 준비되어 있지 않다. 어떤 관객을 초대할지 정하지도 않았다.

홀로 서서 눈을 감아본다.

코로 공기를 깊게 빨아들이며 배에 조금씩 공기를 채워본다. 그리고 천천히 공기를 빼내며 숨을 고른다. 다문 입속으로 먼저 소리를 내어본다.

감았던 눈을 뜨며 다시 조명이 켜지고 무대 막이 서서히 올라가는 순간을 상상해 본다.

만남과 결혼 그리고 가족

선배에게 전화가 왔다. "은영 씨, 어떻게 하지 오늘 나오시는 분도 성이 박씨라고 하네, 동성동본인 듯 해 미안해, 오늘은 그냥 편안하게 인사만 하고 헤어져야겠다."

소개팅 당일, 만나기 20~30분 전 서로 동성동본인 것을 알게 되었다. 우리는 웃으면서 첫 인사가 마지막 만남임을 알고 헤어졌다.

그 후, 일주일이 지나서 직장으로 교환 전화가 왔다. 이번 주 대학원 나오는 날에 만나자는 것이다.

굳이 만날 이유가 없었으나, 무슨 이유인지 호기심이 생겼다.

알고 보니 일주일 사이에 구청과 동사무소에 동성동본으로 결혼할 수 있는지, 결혼 시 필요한 절차가 있는지 알아본 모양이다. 1998년 그 당시에는 동성동본 규제가 완화되어서 몇 가지 절차만 있으면 가능했다.

우리의 만남은 이렇게 시작되었다. 10개월의 연애 기간을 가졌고 부모님께 인사를 했다.

부모님은 동성동본임을 알고 결혼을 반대하셨다. 물론 서로 힘든 시간이 있었지만, 남편의 성실함이 부모님의 마음을 녹이고 친척들을 설득하게 되었다. 1년이 되던 해 우리는 결혼했다.

남편은 자신의 성장 과정을 이야기하지 않았다. 판자촌에서 공동화장실을 쓰며 힘들게 살아서 "그냥 지금이 행복하고 좋다."라고 말했다.

어린 시절 결핍 때문에 아이는 무조건 "한 명만 키우자."라고 외치던 남편은 첫 아이를 낳아서 키우는 행복에 둘째 아이를 더 행복하게 받아들였다.

살아가는 맛, 행복했던 순간들

유치원 가을 운동회가 열리는 날이다. 우리는 아침부터 김밥을 싸고 간식을 준비했다. 시어머니는 투덜거리면서도 나들이가 좋은지 함께 음식을 준비해 주셨다. 남편은 내성적이고 소극적인 편인데 갑자기 손을 들고 나가더니 우리 팀 응원단장이 되어 긴 깃발을 흔들며 다녔다. 아들과 딸은 아빠 모습을 보고 신이 났는지 게임에 적극적으로 참여했다. 남편 덕분에 우리는 특별 선물로 배추 한 단을 받았고 시어머니는 신이 나서 김치를 담아주셨다.

학예 발표회가 있는 날이다. 남편은 우리도 모르게 깜짝 손님으로 출연해 주었다. 흰 셔츠에 빨간 리본을 메고 무대 위에서 '아빠의 청춘'을 부르던 모습은 너무 멋져서 그날이 생생하게 기억난다.

가족 산행이 있던 날, 남편은 걸음이 서툰 딸을 안고 오르막을 내내 올라갔다. 꼴찌로 정상에 도착하니 먼저 도착한 가족분들이 박수를 주셨다. 모두가 땀범벅으로 빨개진 얼굴에 모자를 썼다가 벗기를 반복해서 머리카락은 사방으로 뻗쳐있고 딸은 눈에 초점 없이 입을 벌리고 있다가 찍힌 즉석 사진 때문에 우리는 배꼽을 잡고 웃었다.

아들이 태권도 학원에 다니면서 우리는 매달 품세 대회에 참가했다. 초등학교 운동장에 모여 도복을 입은 아이들이 화려한 기술로 태권도를 자랑했다. 그날은 여기저기 가족들이 나와서 구경하였다. 아이들은 간식도 먹고 남은 여운을 놀이터에서 달래며 늦은 밤까지 신나게 땀을 흘리며 노는 날이 되었다.

우리는 유치원, 초등학교, 학원에서 열리는 각종 행사와 파티에 참여하는 일로 바쁜 시간을 보냈으며 주말에는 들로 산으로 공원으로 나들이하러 다녔다.

남편은 늘 성실한 모습으로 아이들을 돌봐주었다. 딸은 아빠가 퇴근해서 문을 여는 순간 하루 종일 있었던 일을 순서대로 침을 꼴깍꼴깍 삼키어 가며 이야기보따리를 풀어놓았다. 딸은 아빠의 배 위에서 잠을 자는 것을 좋아했다. 둘은 껌딱지처럼 붙어 다녔다. 딸의 태몽도 남편이 꾸었고 출장을 갈 때나 퇴근해서 첫마디는 딸 이름이었다.

아들은 아빠의 든든한 가족이 되었다. 아빠 회사에 가족 모임이 있을 때마다 직장을 다니는 엄마를 대신하여 아빠의 지원군이 되었다.

아이들을 봐주시는 시어머니는 정말 전형적인 시어머니였다. 좋은 날도 있었지만, 들쑥날쑥 그래프를 그리며 불안하게 지낸 날도 많았다. 남편은 다행히 어머니와 며느리 사이에서 중재를 잘해 주었다. 나는 시댁 일로 불평을 늘어놓거나 투덜거리는 일이 많았지만, 남편은 상황을 잘 설명하고 정리해 주었다.

어려운 상황에서 결정이 필요할 때 우리는 금방 최선이며 좋은 쪽으로 의견을 모아 합의점을 찾았다. 이사를 하거나 일을 할 때는 서로 이견 조율이 잘 이루어져서 싸운 기억이 없다.

우리는 늘 함께 다녔다. 손을 먼저 잡는 쪽은 나의 몫이다. 남편은 어색해하면서도 손을 잡아주었다. 손을 잡고 걷는 행복이 참 좋았다. 동네에서 우리는 사이좋은 부부로 불리었다.

아이들이 커가면서 해야 할 일들도 많고 바쁜 시간이었지만, 시끌벅적 살아가는 맛이 참 좋았다.

가족 여행

친정 부모님이 서울로 올라오시는 중이다. 대학과 직장생활 때문에 친정 부모님과 물리적 거리가 더 멀어지게 되었다. 결혼 후 시어머님이 아이들을 봐주시며 함께 살다 보니 친정 부모님을 자주 모시지 못했던 터이다.

내일은 양가 어르신을 모시고 우리 가족이 여행을 간다. 결혼 생활 10년 차가 되기도 했고 감사의 마음을 전하고 싶었다.

무더운 여름, 중국 여행이라 걱정이 앞서기도 했지만 기쁨으로 마음이 가득 채워졌다. 남편 얼굴에서도 밝은 미소가 떠나지 않았다.

양가 어르신은 서로 이야기를 나누며 다니는 곳마다 음식도 잘 드시고 잠도 편안하게 잘 주무셨다. 아이들은 모처럼 외할머니, 외할아버지 손을 잡고 다닐 수 있는 시간이 많았다.

친정아버지 곁을 남편은 늘 따라다녔고 화장실이나 식당, 사람들이 많은 장소에서는 손을 꼭 잡고 다녔다. 시아버님과 손을 잡았던 기억조차 없었던 남편에게 아버지의 손은 어색했을 터이다.

남편은 여행 내내 여러 가지 생각이 많은 모양이다. 자신의 성장 과정 속에 없었던 그림이 그려졌고 또 지금, 이 순간 양가 부모님을 모시고 새로운 그림을 그릴 수 있다는 것에 대한 기대감이 있지 않았을까? 아빠로 남편으로 아들로 사위로 자신의 자리가 잘 마련되어 가고 있다는 자부심이 담겨있지 않았을까?

남편의 메모를 본 적이 있다. 자기 역량 강화 세미나에 참여하고 각종 연수자료를 책상에 둔 적이 있었는데 청소하면서 남편이 긁적이던 기록의 내세를 보게 되었다.

체크리스트 속 질문 중 하나가 '나의 꿈'이었다. 남편은 자신의 손글씨로 '행복한 가정'이라고 적어 놓았다. 한번도 말하지 않았던 남편의 꿈이었다. 유년 시절 없었던 행복이 지금 남편에게 펼쳐지고 있음을 짐작했다.

남편은 "앞으로 부모님을 모시고 더 많이 다니자. 그리고 조금씩 여행 돈을 모아야겠다."라며 살짝 이야기했다. 여행을 마치고 친정 부모님은 서울 집에서 하룻밤을 더 주무시고 내려가셨다. 여행 내내 있었던 일들로 이야기꽃이 펼쳐졌다.

남편의 새로운 도전 1

우리 집 현관, 작은 책상 위에는 영어책 한 권이 항상 같은 위치에 놓여있다.

남편은 매일 집안을 왔다 갔다가 하며 그 자리에 서서 잠깐씩 영어책을 보았다. 아이가 태어나면서 시끌벅적한 공간 속에서도 영어책은 한 장씩 넘어갔다. 그 시간이 모여서 책 한 권이 마무리되면 또 새로운 책이 놓였다.

결혼 초 나는 남편이 보던 책을 덮어서 계속 책꽂이에 끼웠다. 남편은 자신의 공부 스타일을 이야기했고 그대로 두기를 원했다.

남편은 좋은 습관을 성실하게 꾸준히 유지해 나가는 매력이 있었다. 자기 전에는 윗몸일으키기를 하면서 허리둘레를 한결같이 유지했다. 아침 6시에 일어나서 6시 30분이면 현관문을 열고 출근했다. 의지가 부족한 나에게는 참 신기한 모습이기도 했다.

남편은 어린 시절 성장 이야기를 하지 않았다. 나는 시댁 식구들을 통해 띄엄띄엄 들은 이야기를 조각조각 연결해 나갔다. 드라마에서 나오는 영상이 그대로 그려졌다.

소년은 경상남도 거창 시골에서 어머니 손에 이끌려 서울 어느 판자촌에 자리를 잡았다.

어머니가 일하신 하루 일당으로 겨우 하루를 버티었다.

소년에게 학창 시절의 좋은 추억은 없었다. 점심때 도시락을 싸지 못하면 물로 배를 채웠다.

집안이 어두웠던 소년은 책을 들고 가로등 아래에서 공부했다.

청년이 된 남편의 도전은 여기서부터 시작된 듯했다.

어려운 형편이지만 청년은 전문대를 진학했고 자신이 더 하고 싶은 분야를 찾아서 4년제 편입으로 학업을 이어 나갔다. 청년은 책상에 앉으면 엉덩이가 의자 아래로 내려갈 정도로 공부했고 그 당시 학부 졸업자 외에는 들어가기 힘들다는 서울대학교 보건대학원에 입학했다.

졸업 후 사회 초년생으로 직장을 다녔고 그 어느 때쯤에 선배의 권유로 소개팅을 하게 되었다. 선배랑 함께 소개팅 장소로 나오던 중에 오늘 만나는 여성분이 같은 박 씨 동성동본임을 알게 되었다.

남편의 새로운 도전 2

첫째가 돌이 되기 전쯤 남편은 저녁을 먹고 나서 슬며시 이야기를 꺼냈다.

직장을 옮기고 싶은데 나의 의견을 듣고 싶었던 모양이다. 남편은 자기가 하는 일을 좋아했다.

사무직에서 일을 하다 소심했던 자신의 성격을 변화시키고 싶어서 영업을 선택했다고 한다.

성실한 만큼 남편은 업무적으로 큰 성장을 이루어 나갔다. 회사는 기회가 있을 때 몇 차례 옮기면서 자신에게 도전해 나갔다.

외국계 회사의 특성상 파티와 모임에 함께 나가는 일도 종종 생겼다. 아들은 아빠 회사에 가서 놀기도 했고 우리는 부부 동반 해외여행도 함께 했다. 직장 동료들은 남편의 모습을 격려하고 칭찬했다. 덕분에 남편의 일을 더 이해해 나가는 시간이 되기도 했다.

남편은 화상으로 영어 회화를 꾸준히 하였지만, 항상 무언가 부족한 느낌이라고 했다.

그 당시 남편은 여러 가지 일로 스트레스 지수가 다소 높았다. 그참에 일을 쉬면서 남편이 원하는 어학연수를 하면 좋겠다는 생각이 들었다. 어떤 상황이 되어도 남편 결정에 대한 믿음이 있었기 때문이다. 남편은 흔쾌히 동의해 준 나에게 고마움을 표현했다.

물론 시댁과 친정은 잘 다니던 직장을 그만두고 외국으로 어학연수를 간다는 것을 이해하지 못했다.

우리는 메일을 통해 서로의 안부를 전했고 글로 이야기를 주고받았다. 때로는 글로 전해 받는 남편의 담백한 고백들은 설렘을 주었다.

남편은 테스트를 보았는데 "2등을 했다"며 자랑했다. "1등은 도저히 할 수 없다면서 젊은 학생들을 따라갈 수 없다"라고 했다.

어학연수 3개월 차쯤에 남편은 회사에서 러브콜을 받았다고 했다. 고민 중에 한국으로 들어가겠다고 메일이 왔다.

남편이 한국에 도착하는 날 서둘러 퇴근했다. 3개월 만에 보는 남편의 얼굴은 형편없었다. 많이 야위었고 힘든 기색이 가득했다. '더운 나라에서 공부한다고 힘들어서 그런가?' 하며 집에서 보양을 시작했지만, 남편은 도통 먹지 못했고 기운이 없었다. 비싼 보약을 지어도 정성껏 먹지 않아서 화가 났다.

회사의 러브콜 과정은 다소 어긋나서 남편은 다시 여러 가지 준비를 시작했다.

아내로서는 "그동안 고생을 많이 했으니 충분히 쉬면서 몸을 회복하고 여유 있게 하고 싶은 일을 찾아도 된다."라고 말했다. 그러나 남편은 쉬는 기간이 길어지면 다시 러브콜이 오지 않을까? 하는 두려움과 쉬는 자신에게 관대하지 못했다.

뜻밖의 일 1

요즘 이상한 상황이 눈앞에 자주 나타난다. 어학연수를 다녀온 이후, 남편은 음식을 먹지 못하고 힘이 없었다. 아이들과도 잘 놀아주던 모습이 없어지고 침대에 누워있는 모습을 자주 본다.

12월 24일은 시어머니 생신으로 가족들이 모여 외식을 하는데 밝은 불빛 사이로 보이는 남편 얼굴이 사뭇 이상했다. 황달이 있는 느낌이 들어서 직감적으로 '뭔가 몸이 좋지 않구나!' 하는 생각이 들었다.

2013년 새해를 맞이하면서 우리 가족은 각자 소원을 말하며 한 해를 시작했다. 나의 소원은 요즘 부쩍 힘들어하는 남편 걱정으로 시작해서 남편의 건강이었고 바로 내일이라도 병원에 가서 건강검진을 해 달라고 부탁했다. 남편도 잠잠히 듣고 있다가 그렇게 하겠노라고 약속했다.

남편은 가까운 병원을 방문하여 검진을 시작했고 입원을 권유받았다.

며칠 뒤 검진 결과가 나왔는데 보호자가 방문해야 한다는 말에 '왜? 왜? 보호자까지' 하며 단걸음에 달려가 의사를 만났다. 의사는 말을 꺼내기 어려워하는 듯했다.

'직감적으로 무슨 일이 있구나!' 가슴이 쿵쿵 뛰기 시작했다. 손에 힘이 들어갔다.

의사는 망설이다가 위 촬영 CT를 보여 주었다. 내가 보기에도 뭔가 이상하다는 생각이 들었다.

"위 상태가 매우 심각하며 이대로는 한 달 정도 생존이 가능하다." 라고 말했다.

도저히 믿을 수가 없어서 확인하고 또 확인했다.

남편에게는 말도 하지 못하고 집으로 돌아와 인터넷 검색을 시작했다. 그동안 남편의 증상을 되새기며 밤새 찾고 찾았다.

'왜 한결같이 똑같이 설명하고 있는지!' 손이 떨리고 숨이 쉬어지지 않았다. 눈물이 흐르고 있는 줄도 모른 채 날이 밝았다.

다음날 병원을 방문하니 남편은 혈액투석을 하며 "철분이 부족해서 어지럼 증세가 있었나 보다."고 이제 괜찮아질 거라며 밝게 웃으면서 말했다.

'어떻게 이런 일이 생겼는지 이 정도가 될 때까지 나도 남편도 왜 몰랐는지!'

남편은 제약 관련 일을 해서 병원을 매일 다녔다. 전공도 보건 의학

쪽이고 각종 세미나에 참여하며 그래도 일반인으로서는 의학적으로 노출이 많았고 건강검진도 잘 챙겼다.

남편의 건강을 믿어 의심하지 않았다.

5년 전 갑상선 수술을 할 때도 본인이 모든 과정을 알아서 워낙 잘 챙겨서 크게 마음을 쓰지 않았던 기억이 난다.

남편의 상황을 조금만 더 관심 있게 들여다보았다면 여기까지 오지 않았을 터인데 나에 대한 원망이 가슴을 파고들었고 두려웠다.

뜻밖의 일 2

아주버님과 의논해서 조금 더 큰 병원을 예약하고 앞으로의 치료 계획을 잡았다. 남편과 지낼 곳을 양평 근처 마을로 알아보기로 했다.

밤새 책을 읽고 필요한 재료와 음식을 챙겨서 남편이 있는 병원으로 향했다. 집에 오면 놀고 있는 아이들 얼굴만 보아도 목소리만 들어도 눈물이 나서 아이들이 보이지 않았다.

남편에게 이 상황을 어떻게 이야기할지 생각하고 생각했다. 무슨 생각을 했는지 알 수 없을 정도로 눈앞에 현실이 믿기지 않았다.

병원에 같이 있는 동안 남편은 결혼 전후에도 전혀 입 밖으로 꺼내지 않았던 자기 이야기를 들려주었다. 그리고 나에게 "고맙다."라고 말할 때마다 미안하고 마음이 아파서 눈물이 났다.

퇴원하는 날은 남편에게 검진 결과를 이야기해야 한다.

한 달이 1년이 되고 10년이 될 수 있기에 '이 사람은 누구보다 강한 사람이니깐' 삶에 대한 끈을 놓지 않을 거라는 믿음이 있기에 따뜻한 차 한 잔을 건네며 이야기를 시작했다.

남편은 아무 말도 하지 않고 듣고 있다가 자기 병실로 들어갔다. 뒤따라 들어가니 침대 커튼 사이로 울고 있는 남편이 보였다. 눈물이 눈물을 가리며 흘러내렸고 우리 둘은 말없이 그렇게 울었다.

가족들은 바로 큰 병원으로 옮겨서 치료받기를 원했는데 남편은 집에 가고 싶다고 했다.

나는 다니고 있는 직장을 휴직하거나 그만두기로 했다. 이제 아이들에게도 아빠의 상황을 이야기해야 했다.

남편은 집에 돌아온 이후로 많이 힘들어했다. 먹지도 못했고 잠도 청하지 못했다.

대학병원에서는 진료도 늦었지만, 남편의 절박한 상황이 의사에게는 전혀 절박하지 않았기 때문에 1초라도 중요한 우리는 서운했고 발을 동동거려야 했다.

각종 검사에 동의 절차가 필요했고 표적 치료를 위해 검사를 시작했다.

남편의 통증은 생각보다 심했다. 그 오랜 시간 동안 통증을 참았던 남편은 이제는 참기 어려울 만큼 힘들어했고 약을 수시로 먹기 시작했다.

남편을 씻기면서 변해버린 몸과 얼굴을 보니 눈물이 물처럼 입으로 흘러 들어왔다.

우리는 지금 다른 나라, 다른 공간에 사는 것 같았다.

그러던 날 검사를 받다가 응급상황이 발생했고 우리는 모두 비상대기를 하게 되었다.

남편은 대학병원 치료를 거부했고 자신이 다니던 작은 병원에서 치료받기를 원했다.

의사는 "더 이상 할 수 있는 치료는 없다."고 했다. 어떻게 해야 할지 앞이 캄캄했다.

남편에게 "절대 삶에 대한 끈을 놓으면 안 된다."고 수없이 되뇌었다.

이렇게 인간의 존재가 나약하고 아내로서 해 줄 수 있는 게 없다는 것이 절망스러웠다.

남편의 숨소리

남편이 침대에 누워있는 시간이 많아졌다. 손과 가슴에는 각종 바늘이 꽂혀 있어서 움직이기도 힘들었다.

밤마다 통증 때문에 잠을 자지 못하는 남편을 보며 울기만 했다.

한방치료를 시작했지만, 남편은 치료를 원하지 않았다. 무엇이든 해야 했고 또 반드시 일어날 거라고 믿었기 때문에 "잘 견디자."라며 남편의 손을 움켜잡았다.

남편 곁에서 듣는 숨소리가 어느 날 달라졌음을 직감했다. 숨소리도 약해지고 몸에 힘이 더 빠져있었다. 왠지 모를 불안감이 몰려왔다.

남편은 나의 눈을 자꾸 피했다.

친정어머니는 남편을 참 좋아했다. 차분하고 성실한 모습을 좋아했고 남편의 부드러움도 좋아했다. 남편의 상황을 접하고 먼 길을 한달음에 오셨는데 남편은 문밖에 서 있는 장모님을 선뜻 만나기를 거부했다.

친정어머니께 "딸에게 잘하겠다.", "정말 행복하게 지낼 수 있게 하겠다."라는 약속을 지금 지키지 못해서 미안한 마음, 죄송스러운 마음인 것 같았다.

"그냥 친정어머니를 편안하게 보고 당신이 하고 싶은 말을 하면 좋겠다."라고 남편에게 말했다.

모두가 나가고 두 사람은 이야기를 나누었다. 잠시 뒤 친정어머니는 병원 문을 열고 나오셨다. 두 눈은 붉게 물들어 있었다. 건강하게 지내던 사위가 갑자기 입원하고 위급한 상황이 된 지금을 받아들이기 힘들어했다.

"아빠가 단순히 조금 아파서가 아니라 위독하다."고 아이들에게 말했다. 아이들의 마음을 생각하고 다독일 틈이 없었다.

남편의 숨소리가 얕아질수록 나는 무중력 상태가 되어갔다.

내가 가지고 있는 두려움보다 더 큰 고통을 안고 있는 남편을 보면서 '마음을 준비해야겠다'는 생각이 들었다.

남편은 울고만 있는 나에게 말했다.

"은영아 사랑한다. 가슴 깊이."

"아무 일 없듯이 그냥 살아가야 해."

살 수 없는 시간

1초도 안 되는 그 짧은 순간 '타닥' 꺼졌다 켜진 스위치에 모든 것이 변해버렸다.

아무것도 보이지도 들리지도 않는 순간이었다. 돌이킬 수 없는 절망의 시간이 되었다.

그 자리에 남은 우리는 남편을 보내야 하는 일정의 절차를 밟아야 했다.

아무 경험도 없는 나는 아무것도 할 수가 없었다.

말도 할 수 없는 그 순간에도 사람들은 나에게 의견을 물었다. 모든 결정은 내가 해야 했다.

3일의 시간이 지나고 돌아온 곳은 집이다.

옆에 있던 사람들은 모두 제자리로 돌아갔으나 나에게는 제자리로 돌아오지 않는 것이 전부였다.

모든 것은 그 자리에 있는데 모든 것이 사라지고 없었다.

아이들을 살피지도 못하고 쓰러진 채 울기만 했다. 잠을 잘 수도, 먹을 수도 없는 날들이다. 낮인지 밤인지도 느껴지지 않았다.

직장을 다닐 수 있을까? 직장을 옮겨야 할까? 그냥 직장을 그만두고 다른 일을 해야 할까? 이사를 해야 할까? 친정 부모님이 계시는 곳으로 가서 살까? 아무도 모르는 곳에 가서 살아야 할까? 아이들은 어떻게 키워야 할까? 어떻게 살 수 있을까?

모든 것이 엉망진창이었다. 머릿속에는 하루 종일 남편 생각으로 가득 차 있었고 살아가야 할 의미가 없었다. 매일 '죽음'이라는 단어가 떠나지 않았다.

집 밖을 나올 수가 없었다. 발이 땅에 닿지 않았다. 정신 놓고 걷다가 넘어졌는데, 집에 와서 보니 바지 무릎에 구멍이 나고 피가 흐르고 있었다.

남편이 말한 대로 '아무 일 없듯이 살아갈 수 있을까?'

내일이면 3월 개학으로 아이들은 학교로 나는 직장으로 출근해야 한다.

서로의 상처를 바라볼 시간도 없이 사람들은 우리에게 "빨리 일상을 살아가라."고 말했다.

우리는 상실의 고통을 잘 표현하지 못했다. 아빠의 부재를, 남편의 부재를 온몸으로 느낄 뿐 어떻게 이겨나가야 하는지 무엇을 해야 하는지 아무것도 몰랐다.

나는 깊은 동굴 속으로 들어가 버렸다. 입을 다문 채 말을 하지 않았다. 낮보다는 밤을 선택했다. 눈이 부시게 밝고 맑은 날이 싫었다. 비가 내리는 날에는 밖을 나가지 않아도 된다는 핑계가 되어서 좋았다. 웃음은 사라졌다. 웃을 이유가 없었다. 집안의 공간이 내가 움직일 수 있는 최대의 공간이 되었다.

그렇게 빛이 없는 시간이 흘러갔다.

되돌이표로 돌아온 수술

3년 정도 지났을 무렵 몸의 리듬이 깨졌다는 것을 알게 되었다. 불현듯 찾아오는 불안과 두려움, 외로움이 몸의 이상으로 나타나기 시작했다. 생각보다 내가 숨었던 동굴은 더 깊고, 더 어두웠던 것 같았다.

가까운 병원에서 검진을 받기 시작했다. 의사는 검진 때마다 물었다.

"최근 심한 충격을 받은 적이 있는지 스트레스를 지속해서 받고 있는지?" 등을 물었다.

나는 몇 번이나 입술을 들썩이다가 그냥 살포시 입술을 닫으며 긴 한숨으로 답했다. 지금 여기서 답하기에는 너무 부족한 시간이었다.

의사는 어느 정도 치료를 진행하다가 큰 병원으로 가서 검진해 보는 게 좋겠다고 했다.

그렇게 또 큰 병원에 다니면서 검사와 치료를 시작했다.

1년 정도 호르몬 치료를 해 오던 차에 검사 중 가슴에 혹이 보였고 바로 조직 검사를 하게 되었다.

검사 결과를 기다리는 일주일은 길었다. 의사는 수술해야 한다고 했다. 흔히 말하는 양성종양이었다.

다행히 빨리 발견했고 크기가 작아서 수술 후 치료 방법을 결정하자고 했다.

'어떻게 이런 일이 나에게 또 생긴 걸까?' 남편과 비슷한 상황들이 겹치면서 큰 소용돌이가 일어났다.

의심스러운 결과에 전에 검사받았던 산부인과를 다시 찾아서 의사

면담을 했다.

의사는 초음파를 보고 빨리 수술하는 게 좋겠다고 말했다.

"얼마나 다행이야, 빨리 발견해서 아무것도 걱정하지 않아도 되겠다."며 나를 안심시켰다.

수술 전 2주가 남았다. 직장은 처리해야 할 일들을 급히 정리하고 병가를 냈지만, 집에 있는 아이들이 가장 큰 문제였다.

'아빠도 없이 엄마도 없이 긴 시간을 잘 지낼 수 있을지?' 걱정밖에 남지 않았다.

아들은 사춘기라고 말하기에는 방황이 너무 길었다. 학교에서 전화가 언제 올지 몰라서 항상 대기 중이었고 거칠며 험난한 하루하루를 보내고 있었다. 딸은 학업과 고등학교 진로 문제로 고민이 많았고 평화로우나 예민한 하루하루를 보내고 있었다.

일단, 지금은 나를 위해 모든 걱정을 접어두기로 했다.

수술복을 입고 침대에 누워 눈부시게 나를 내리비추는 조명 아래서 눈을 감았다.

수없이 죽고 싶다고 내뱉었던 생각 화살이 다시 나에게 돌아와 독이 되어 꽂혔다는 것을 알게 되었다. 잠시 후 마취 주사가 내 몸속을 들어왔다.

살아야 한다.

나 자신을 위해, 그리고 사랑하는 나의 아들과 딸을 위해.

'이제는 죽고 싶다고 말하지 않겠습니다.'

내가 살아가야 할 이유가 명확해졌다.

'살고 싶습니다.'

삶의 쉼표

수술 후 집으로 가는 것이 마땅한 일이었지만 나는 요양병원을 선택했다.

우선 건강을 회복하기 위함이었고 그동안 나를 위한 쉼이 없었다는 것을 알게 되었다.

지금 무엇보다 휴식이 필요했다. 육체적인 휴식뿐만 아니라 정신적인 휴식도 필요했다.

아이들을 생각하면 가능하지 않은 일이지만 그냥 한번 나를, 아이들을 믿어보기로 했다.

수술로 끝나는 것이 아니라 여러 차례의 방사선 치료가 남아 있기도 했다.

낯설기만 한 요양병원에서 몇 날 며칠은 잠만 잤다.

차츰 잠에서 깨어있는 시간은 산책을 했고 명상과 스트레칭, 책을 읽거나 창밖 하늘과 나무를 보며 조용히 시간을 보내었다. 그리고 그동안 접어두었던 인생 수첩을 다시 꺼내었다.

따뜻한 햇살과 친해지기,

밝은 미소 찾아보기,

집에만 있지 않기,

즐거운 마음으로 음악 듣기,

울지 않기,

심각하게 고민하지 않기,

부모님께 자주 전화하기,

친구, 동료에게 먼저 안부 묻기,

지금, 행복하기 위해 노력하기,

아이들과 행복한 시간 보내기,

사랑한다, 고맙다고 말하기,

나를 위한 휴식과 여유 가지기,

건강을 위해 좋은 습관 가지기….

수술 후 3개월은 나의 삶에 많은 변화를 주었다.

요양병원에서 지낸 하루하루는 아픈 사람들을 통해 또 서로의 아픔이 치유되는 것을 알려주었고 내 몸을 온전하게 바라볼 수 있는 시간이 되었다.

그리고 마음속 한 모서리쯤에는 어둠의 굴레를 벗어던지고 이제 조금씩 나아가고자 하는 힘이 자라고 있었다.

삶의 쉼표는 건강한 몸으로 살아가는 시간의 귀중함과 감사하는 마음을 선물로 주었다.

못다 한 이야기

시간에는 놀라운 힘이 있다고 한다. 모든 것이 변하고 순환하는 과정에서 지금 우리가 가진 감정을 서서히 희석시켜주는 힘이 있다고 한다.

10년의 세월은 상실의 고통과 아픔을 서서히 희석시켜주었고 삶의 쉼표와 내가 다시 인생 무대에 서서 나의 이야기를 시작할 용기를 주었다.

아직 무대도 조명도 준비되어 있지 않다. 어떤 관객을 초대할지 정하지도 않았다.

홀로 서서 눈을 감아본다.

코로 공기를 깊게 빨아들이며 배에 조금씩 공기를 채워본다. 그리고 천천히 공기를 빼내며 숨을 고른다. 다문 입속으로 먼저 소리를 내어본다.

감았던 눈을 뜨며 다시 조명이 켜지고 무대 막이 서서히 올라가는 순간을 상상하며 못다 한 이야기를 전해본다.

마음이 단단해지는 데 시간이 필요하더군요.

다른 사람에게 기대어 엉엉 울면서 약해진 마음을 드러내고 싶었지만, 그때는 아무런 준비 없이 상처가 노출되었고, 그 상처가 덧날까? 두려웠어요.

말할 힘도 의지도 없었어요.

그때는 나의 아픔이 전부였지요.

왜 나에게만 이런 아픔이 생기는 걸까? 절망하며 내 운명을 탓했어요.

하지만 누구도 그 절망을 깨워주지 않더군요.

내가 스스로 헤쳐 나가고 노력하지 않으면 성장할 수 없다는 것을 알게 되었어요.

뒤돌아서서 보니 많은 사람이 저마다의 아픔을 간직하며 살아가고 있더군요.

어느 순간, 앞으로의 삶을 살아가기 위해서는 지금 남아 있는 나의 상처를 비우는 것도 필요하다는 것을 알게 되었어요.

'아프면 아프다고, 힘들면 힘들다고, 그때 말할 걸 그랬다'라고 후회하는 나정이의 독백(응답하라 1994, 드라마 대사 중)처럼 그때 말하지 못했던 나의 이야기를 이제서야 꺼내어 봅니다.

남편을 통해 살아온 시간만큼 받았던 사랑이, 앞으로 살아갈 시간을 더 사랑하게 만들 수 있다는 것을 알게 되었습니다.

서로가 서로를 보듬어 안아주던 그날들처럼 우리는 언제나 따뜻하고 온화했던 그의 사랑을 기억할 것입니다.

'저도 사랑합니다. 당신을 가슴 깊이.'

지하철 2호선

데릭최

데릭 최   어쩌다 보니 남들과 똑같이 졸업을 하고 직장인이 되었다. 어쩌다 보니
남들과 다르게 일상과 과거를 접목하여 소설을 썼다. 비록 첫번째 단편
소설이지만 언젠가는 대작을 쓰리라 결심하고 또 결심한다. 부커상과
아카데미 각본상 수상을 꿈꾼다.

email : darrik.choi@gmail.com

- Prologue

대한민국 수도 서울의 지하철 2호선, 1980년 10월 31일 개통을 시작하여 초록색 지하철이라고도 불리며 1984년 완전 개통을 통하여 순환선이 된 중심 지하철 노선이다. 서울 지하철 6호선과 더불어 유일하게 서울 내에서만 다니는 노선이기도 하다. 2호선은 서울대를 포함하여 흔히 말하는 주요 인서울 대학도 지나가고, 서울의 시청, 놀이공원, 야구장, 서울의 주요 대형쇼핑몰, 동대문 같은 역사적인 장소도 매일 지나가는 명실상부 대표적인 노선도이다. 2호선의 진짜 매력은 지상으로 나가 한강 뷰를 보고 서울 시내의 경치를 구경할 때이다. 굳이 한강공원으로 걸어 나가지 않아도 한강 뷰를 볼 수 있고, 우뚝 솟은 네온사인 가득한 건물을 볼 때 참 살기 좋은 도시에서 살고 있다는 생각이 절로 날 정도이다.

이 지하철 2호선을 A는 거의 매일 사용한다. 사실 A는 어딜 이동하고자 지하철 2호선을 탑승하는 게 아니다. 이제 80대의 노인이 된 A는 나라에서 제공하는 어르신 교통카드를 사용하여 무료로 탑승하고 있다. 그래도 본인은 "그래 염치라도 있지 출근 시간에는 피해야지"란 생각으로 아침 10까지 최대한 탑승을 피하려 한다. 종종 10시 이전 탑승하는 날은 정말 어디론가 이동해야 하는 날인 것이다.

사실 지하철 2호선은 A에게 단순한 교통수단 그 이상의 것이었다. 그도 그럴 것이, 밥벌이하는 직장에도 데려다주고, 술 한잔하고 늦은 시간까지 집에도 데려다주는 여간 고마운 A의 발길이었다. A뿐만 아니라 A의 마누라가 장을 볼 때도, 그리고 A의 아들이 대학에 다닐 때도 지하철 2호선은 늘 고맙게도 A의 가족들을 안전하게 이동해 주는 고마운 교통수단이었다.

1980년 10월 31일 개통 첫날 A는 지하철 2호선의 첫날 승객 중 하나였다. 당시 잠실 부근에서 살고 있었던 A에게 집 근처에 지하철역이 생긴다는 것은 여간 신기한 것이었다. 1983년 A의 직장이 있는 을지로입구역까지 개통하면서 매일 버스를 타고 다니던 A는 기본요금 110원에 추가 요금만 내면 교통체증 걱정 없이 항상 시간에 맞추어 출근할 수 있는 아주 요긴한 교통수단이었다. 그렇게 1984년 완전 개통이 되면서 A는 나중에 은퇴하면 지하철 2호선의 모든 역에 정차하여 주위도 둘러보고 유명한 식당도 가보기로 나름의 버킷 리스트를 속에 품고 살았다.

A는 사실 이렇게 매일 혼자 지하철을 탈 생각은 없었다. A는 은퇴하자마자 마누라와 매일 여행도 다니고, 그동안 밥벌이하느라 못 만나던 친구들, 하고 싶었던 취미도 매일 해보려고 하였다. A는 항상 술에 취해 집에 들어오는 날이면 가족에게 본인이 은퇴하면 지하철 2호

선의 모든 역을 같이 둘러보자고 버릇처럼 얘기하였다.

그런데 자식놈은 결혼하고 회사에서 인정받더니 어느 날 미국으로 주재원으로 발령이 나고 현지에서 일이 잘 풀렸는지 현지 회사에 취직하여 아예 이민자로 눌러앉은 지도 25년째이다. 그러다 보니 A는 남들처럼 손주를 봐줄 필요도 없었고 자식 뒤치다꺼리도 더 이상 할 필요도 없었다. 퇴직 전까지도 갚고 있던 아파트 대출도 퇴직금으로 모두 다 갚아버렸다. 그래서 A는 조금씩 나오는 연금으로 그저 자신과 마누라만 건강히 죽을 때까지 옹기종기 서로에게 붙어 살려는 계획이었다.

그렇게 은퇴 후 차곡차곡 계획을 수행하던 A가 70대의 나이가 되었을 때 마누라가 그만 사고로 세상을 떠났다. 이제 좀 은퇴하고 숨 좀 돌리려고 하는데, 하필 그 빌어먹을 음주 운전자 놈이 비 오는 날 A의 반쪽을 앗아갔다. 사실 그날도 친구 놈들이랑 술 한 잔 거 하게 하고 지하철을 타고 집에 가고 있던 늦은 밤에 시간이었다.

거 하필이면 그날 비 온다는 뉴스를 못 보고 늙어 빠진 서방님 비 안 맞게 한다고 데리러 오다가 그 사달이 났던 것이었다. 그날 기상예보만 봤다면, 그날 택시를 탔다면, 그날 버스를 탔다면… A의 마누라는 A를 마중 나오다가 지하철역 근처에서 숨을 거두었다. 그날도 온다는 사람이 "왜 이렇게 안 와…"라고 투덜대고 있었다. 전화도 받지 않아 하염없이 기다리는데 저 멀리서 초록 불 사이렌이 큰 굉음을 내면서 A가 있는 지하철역 입구를 지나갔다. 그 순간 A는 구급차가 왠지 내 마누라를 향해 가는 것 같은 기분 나쁜 소름이 돋았다. 숨을 가쁘게 겨우 두 다리를 붙잡고 구급차 끙음이 나는 장소를 가보니 아니나 다를까… A의 반쪽이 비에 젖은 채로 축 처져 실을 것에 들려 구급차로 들어가고 있었다.

A는 마누라와 다음날 시청역에서 유명한 콩국수 집에서 콩국수를 먹을 계획이었다. 마누라가 제일 좋아하는 음식이 콩국수이기도 했고 A가 을지로에 회사를 다닐 때도 여름만 되면 직장 동료들과 일부러 찾아가기도 하던 집이었다. 그런데… 그 약속 하나 지키지 못하고 A는 마누라를 보내야 했다.

그래서 A는 마누라의 장례식이 끝난 날 뒤부터는 매일 일기예보를 챙겨본다. 자기 전에도 TV 뉴스에서 일기예보를, 일어나자마자 신문지에서 일기예보를, 그리고 나가기 전에도 꼭 핸드폰으로 한 번 더 일기예보를 보고 나간다. 혹시 모를 우산을 빠뜨리고 다니지 않기 위해서. 그리고 마지막 약속을 지키지 못 한 죄책감 때문일까 아니면 본인과의 약속 때문일까, A는 그렇게 매일매일 지하철 2호선을 타고 있다.

그렇게 비 오는 날을 제외한 거의 매일 서울 지하철 2호선을 탄 게 십수 년째이다. 사실 이 어르신 교통카드를 처음 받았을 때 그렇게 달갑지만은 않았다. 내가 벌써 이렇게 나이를 먹었나 생각이 들다 가도 이내 그래 내가 지금까지 낸 세금이 얼마인데! 라는 생각으로 사용하게 되었다.

사실 이 지하철은 가끔 집보다 좋을 때도 있다. 여름에는 시원한 에어컨이, 겨울에는 따뜻한 난방이, 화장실을 쓰고 난 후에도 따로 청소를 해줄 필요도 없고, 배가 고프면 환승역에 잠깐 정차하여 끼니를 때울 수도 있고, 핸드폰 요금 아끼려고 와이파이 연결까지 공짜로 해주니, A에게는 아주 유용한 교통수단이다. 그리고 집에만 있으면 TV와 라디오 소리만 나고 매일 적적한데 사람이 바글바글하기도 시끌벅적할 때도 있으니, 집보다 훨씬 나은 공간이었다.

그래서인지 어느 날부터는 A는 그냥 시간 보내기용이 아닌 사람들의 이야기를 듣기 시작하였다. 이 2호선은 가만히 앉아만 있기는 하여도 이 사람 저 사람의 사연을 들을 수 있는 참 좋은 장소이다. 그리고 사람들이 남의 신경을 쓰지 않고 통화를 하거나 서로 대화를 하니 내가 억지로 이야기를 들으려고 하지 않아도 옆에만 앉아있으면 알아서 술술 자기네들 이야기를 들려준다. 그리고 가끔 보지 못하는 자식놈이나 손주 놈같이 생긴 녀석들이 지하철에서 보는 날이면 가까이 가서 대화를 엿듣고 내 새끼들도 한국에 있었으면 저렇게 살고 있었겠구나 하고 곱씹기도 한다.

그렇게 A는 또 지하철 2호선에서 어떤 이야기를 들을 수 있을까 하는 기대감에 아침 10시 잠실역을 향해서 집을 나간다.

- Ch.1

A는 아침 알람이 따로 필요 없다. 아침에 해가 눈을 비추면 계절이 바뀌더라도 8시쯤에는 항상 기상한다. 일어나자마자 새벽에 배달 온 문 앞의 신문지를 들고 들어와 식탁에 내려놓고 뜨거운 물을 하나 끓인다. 물이 끓으면 커피믹스 1봉지를 컵에 담아 뜨거운 물을 부어 섞고 기상예보부터 먼저 펼쳐본다. 오늘 비가 안 오는지 다시 확인한 뒤

간밤과 세상에 무슨 일이 있었나 그제야 한 장 한 장 신문을 넘기며 세상사를 본다. 그렇게 신문까지 챙겨보면 벌써 9시, 이제 씻고 나갈 채비를 할 시간이다.

A는 아침을 챙겨 먹지 않는다. 커피믹스 한잔이면 충분하고 배가 고프면 지하철 탑승 전 잠실역 상가에서 끼니를 때우거나 2호선을 돌다가 환승역에서 내려서 토스트나 김밥으로 간단히 요깃거리를 먹으면 된다.

면도를 대충 하고 간단히 아침 샤워를 하고 어제 다려 둔 셔츠와 바지를 입고 어르신 교통카드가 든 지갑까지 챙기면 A의 외출 준비는 끝이다. 젊을 때는 걸어서 5분이면 가던 지하철역이 이제는 걸어서 15분 거리이다. 나이가 들었으니 어찌하리, 그래도 친구 놈들처럼 다리가 불편해서 지팡이를 짚는 것보다는 낫다는 생각으로 운동처럼 생각하면 아침 길이 수월해진다.

지하철 2호선 잠실역에 도착하니 벌써 10시. 오늘 A는 그렇게 배가 고프지 않다. 그래서 바로 지하철 개찰구로 가서 어르신 교통카드를 찍는다. 엘리베이터를 타고 지하철 플랫폼에 내려가니 바로 지하철 하나가 온다. A가 매일 타는 외선순환선이다. A가 직장을 다닐 때부터 아침마다 타던 것이 외선순환이다 보니 지금도 자연스럽게 외선 순환을 타게 된다. 그리고 잠실역에서는 외선 순환을 타야 잠실철교를 지나가기 때문에 한강을 좀 더 빨리 볼 수 있다.

A는 오늘 다른 역에 내리지는 않고 몇 바퀴를 돌고 나서 다시 잠실역에서 내릴 예정이다.

한 15년 전만 해도 10시에 타면 사람이 그렇게 많지는 않았다. 그런데 어느 날부터 토요일 근무가 사라지고, 자율 출퇴근이란 것이 많은 기업에 적용되다 보니 10시가 넘은 시간에도 젊은 직장인들이 지하철을 타는 것을 심심치 않게 볼 수 있었다. 대학생들도 예전에는 해가 뜨기 전에도 학교 가더니 이제는 해가 중천이 되어서야 학교에 가는 녀석들도 많아졌다. 그래서 요즘은 10시에도 지하철에 사람들이 꽤 있는 편이다. 그렇다고 수십 년간 A가 해온 루틴을 바꿀 수가 있는 것도 아닌 노릇이니 A는 이 또한 세상살이라 생각하고 많은 이들과 같이 2호선을 타고 움직인다.

가끔 재수가 없으면 성수나 신도림역에서 종착하여 내려야 할 때도 있다. 하지만 어떨 때는 앉아만 있으면 총 1바퀴 넘게 앉아서 내리지 않고 구경할 수도 있다. 오늘은 운이 좋게도 일반 외선순환선이다. 중간에 내릴 필요 없이 앉아서 쭉 가기만 하면 된다는 이야기이다.

A는 항상 3-1에서 지하철에 탑승하여 노약자석에 앉는다. 예전에는 젊은 사람들과 같이 앉는 게 좋아 일반석에 앉았었는데 여학생이 A에게 다 들리게 노인네 냄새가 난다고 하여 충격을 받고 그 다음부터는 무조건 노약자석에 앉아서 가고 있다.

잠실역이 환승역이다 보니 많은 사람이 타고 내린다. 물론 A가 젊을 때와 비교도 못 하게 회사들과 집들이 잠실 주위에 생겨나다 보니 정말 많은 사람이 매일 잠실역을 애용하고 있다. 오늘도 많은 사람이 내리고 같이 기다리던 사람들과 같이 지하철에 탑승하여 출입문과 가까운 노약자석에 착석한다.

"지하철 출입문 닫습니다" 지하철 2호선 외선 순환은 이내 곧 출발한다. 예전에는 어디 있는지도 구분하기 어려웠던 지하철이 이제는 광고판 대신 기다란 TV가 달려 온갖 광고가 나온다. 광고를 보고 있으면 무슨 계절이 오는지 쉽게 알 수 있다. 여름이 되면 얇은 옷 광고를 겨울이 되면 두꺼운 옷 광고를, A는 광고를 보고 계절 옷을 정리하기도 한다.

그렇게 몇 정거장 달리니 벌써 잠실철교를 지나 한강이 보인다. 오늘은 해가 맑게 뜨는 날씨이다 보니 한강에 해가 비추어 A가 달리는 지하철 안을 밝게 비춘다. 왠지 오늘도 A에게 즐거운 지하철 2호선 탑승이 될 것 같은 날이다.

오늘 A는 오전에는 가만히 앉아서 2호선을 탄 뒤 점심을 먹고 다시 지하철 2호선에 탑승하여 오후부터 사람들의 대화를 들을 계획이다.

그렇게 달리다 보니 벌써 건대입구역이다. 대학생으로 보이는 젊은 학생들이 문 앞에서 대기를 하다가 건대 입구에서 문이 열리니 하나 둘씩 내리기 시작한다. 학생들은 저마다 들고 있는 책이 다르다. 어떤 학생은 자기 전공 서적을 들고 있고 어떤 학생은 토익 같은 영어책을 들고 있다. 근데 요즘은 책보다는 태블릿이라는 책과 비슷한 크기의 기계를 가지고 다니는 듯하다. 이렇게 A는 지하철 2호선을 타고 다니면 자연스럽게 현대문물을 간접적으로 체험할 수 있다. 이내 곧 문이 닫히고 외선순환선은 다시 달리기 시작한다.

그리고 조금 지하철이 달리다 보니 벌써 을지로입구역이다. A가 예전에 다니던 직장 근처의 지하철역이다. 을지로입구역만 지나치면

절로 예전 직장인이었을 때가 생각이 난다. 가장 찬란했던 시기이기도 하고 마누라를 만나기도 하였고 아들놈이 태어나기도 한 그 예전 말이다. 죽어 없는 마누라도 보고 싶고 저 멀리 이민 간 아들놈도 보고 싶긴 한데… 핸드폰을 꺼내 아들놈한테 연락하려다 또 얼마나 바쁠까, 하며 이내 다시 핸드폰 화면을 끈다.

그렇게 예전 추억을 잠시 꺼내고 나면 신촌, 홍대를 지나 벌써 신도림, 대림역을 지나고 있다. 보통 이쯤이면 A는 노약자석에서 졸기 시작한다. 그렇게 좀 더 지나면 서울대입구역을 지나 잠실역으로 돌아가기 전 마지막 대학교 역인 교대를 지나간다.

그렇게 강남, 삼성역을 지나 마지막 종합운동장역까지 지나면 다시 A가 탑승한 잠실역으로 돌아오게 된다.

지하철 외선 순환은 한 바퀴를 다 돌면 약 한 시간 반 정도의 시간이 걸린다. 사실 요즘은 한 시간 반이면 차를 타고 강원도도 갈 수 있는 시간이다. 근데 A가 이 나이에 운전할 것도 아니고 강원도에 혼자가서 놀 것도 아니니 A에게는 더할 나위 없는 충분한 이동 시간이며 서울 구경 시간이다.

아침 10시가 조금 넘어 지하철 2호선을 탑승하고 한 바퀴를 돌고 내리면 12시가 조금 되지 않은 점심시간이다. A가 아침은 먹지 않더라도 점심까지 아무것도 먹지 않고 버틸 수는 없는 노릇이다. A는 서둘러 잠실역에서 내리고 개찰구로 다시 올라가 어르신 교통카드를 찍고 잠실역 지하상가로 가서 끼니를 때우기로 한다.

오늘은 왠지 모르게 밥보다는 잔치국수가 당긴다. A는 상가 식당

구석 자리에 앉아 잔치국수를 하나 시켜 국물까지 깨끗이 비우고 일어났다. 이제야 12시가 넘어 사람들이 하나둘씩 밀려 들어온다. 사람들이 더 밀려오기 전에 A는 빠르게 일어나 계산하고 화장실에 들러 볼일을 보고 나온다.

A의 오늘 오전 일과는 이렇게 끝이 난다. 이제 A는 다시 잠실역에서 지하철에 탑승하여 오후 일정을 소화하려고 한다.

- Ch. 2

A는 오늘 계획한 일정을 수행하기 위하여 잠실역 개찰구에서 어르신 교통카드를 찍고 다시 한번 3-1 탑승하여 노약자석 문 앞에 앉는다. 이제 점심시간이 지나다 보니 오전보다는 좀 더 많은 사람이 잠실역 외선 순환을 탑승한다. A에게는 오히려 지금부터가 사람들 살아가는 이야기 듣기에 더할 나위 없이 좋은 시간대이다.

"지하철 문 닫습니다." A는 이야깃거리를 듣기 위해 두리번거리다가 이내 반대편 일반석에 꼬맹이 하나와 엄마가 앉아있는 것을 발견했다. 가만히 두 모자의 이야기를 들어 보니 오늘 꼬맹이가 엄마와 어린이대공원에서 사자를 보러 가기로 한 날인가 보다.

"엄마, 사자는 아빠보다 크지?"

"그럼, 아빠보다 크지."

"엄마, 그럼 사자는 아빠 차보다 크지!"

"그럼, 아빠 차보다 크지!"

A는 나 같으면 귀찮아서 조용히 하라고 할 법도 한 대 꼬맹이 엄마

가 일일이 대답해 주는 것을 보고 대단한 부모라고 느껴졌다.

"엄마, 오늘 가면 회오리 감자 하나 사줄 거야?"

"그럼, 우리 아들이 말 잘 들으면 핫도그도 사줄 거야"

"우아 엄마 최고!"

이내 두 모자가 행복한 웃음소리를 내면 건대 입구에서 내린다. 어린이 대공원역에 가기 위해서는 건대 입구에서 내려서 갈아타야 한다. 오늘 꼬맹이는 엄마와 사자를 가서 보면 얼마나 행복할까? 또 꼬맹이 엄마는 아들이 회오리 감자랑 핫도그를 먹는 모습을 보면 얼마나 행복할까? 라는 생각이 절로 들면서 A의 입에서도 옅은 미소가 절로 났다.

"지하철 문 닫힙니다"

두 모자가 내리자, A는 이내 또 다른 이야깃거리를 찾기 시작했다.

건대입구역을 지나자, 정장을 말끔하게 입은 두 명의 남자가 보였다. A는 딱 보아도 그 두 명이을지로 쪽 은행에서 일하고 있는 직장인임을 알아챌 수 있었다. 두 명의 남자는 서류 가방과 함께 예전 A가 다니던 직장의 배지를 가슴에 달고 있었기 때문이다.

"휴, 출근을 클라이언트 사무실로 하고 회사로 가려니 그거는 또 그거대로 힘드네"

"야 그래도 사무실에 앉아있는 것보다 강남 쪽으로 출근해서 다른 공기 마시는 것도 재미있지 않냐"

"난 그래도 커피 하나 사서 사무실로 바로 출근하는 게 낫더라, 너야 집이 강남 쪽이니 강남에서 출근하는 게 더 낫겠지"

"그래도 클라이언트가 수고했다고 스테이크 썰고 왔잖아 회사에서는 요즘 경비 아낀다고 회식비 줄이느라 삼겹살 먹기도 힘든데 말이야."

"역시 외국계 회사라서 그런지 밥 먹는 돈은 더 많이 주나 보다"

이 두 남자는 클라이언트와 업무 해결을 하고 사무실로 돌아가는 길인가 보다. A도 예전에는 회사에서 영업을 뛰던 직장인이었다. 그때는 지금과 비교 할 수 없을 정도로 정말 열악한 환경에서 영업할 수밖에 없었다. 그때는 지하철이 지금만큼 곳곳에 있던 것이 아니기 때문에 버스를 타고 가는 것이 유일한 대중교통 방법이었다. 택시도 있긴 하지만 교통체증에 잘 못 걸리면 약속 시간에 늦거니와 가끔 회사에서 교통비 지원을 해주지 않아 A의 지갑에서 직접 택시비가 나갈 때도 있었다.

지금이야 컴플라이언스다 김영란법이 다 뭐다 해서 고객사들 밥 한 끼 사주는 게 어려운 시대이지 만 A의 재직시절 당시 고객사들에게 밥 사주는 게 문제가 되던 시절이 아니었다. 그래서 영업을 하다 보면 접대하기 위해서 항상 비싼 고깃집으로 1차 회식을 가야 하였고 술까지 대접하면 2차, 3차… 가끔 집에도 가지 못하고 목욕탕에서 씻고 바로 출근하기 일쑤였다. 그때는 다들 그렇게 해야 밥벌이하던 시절이지만 요즘 시대에 그랬다가는 바로 이혼에 아마 자식들한테 바로 찬밥 취급당할 것이다.

그때가 참 젊긴 젊었었나 보다. 해뜨기 직전까지 술을 마시고 목욕탕 사우나에서 몸 지지고 잠깐 눈 붙이고 회사에 가도 일 할 수 있는

체력이었는데⋯ 요즘은 얼마 전 건강검진에서 간 수치를 비롯해 여러 이상 수치가 나와서 담당 의사가 더 이상 술 먹으면 바로 죽을 수 있다는 말에 술을 잠시 끊기로 하였다. 사실 바로 죽을 수 있다는 말에 A는 오히려 마누라를 보러 갈 기회가 아닐까, 생각하다가도, 아직 할게 많아 건강을 챙기기로 생각하였다.

그렇게 옛날 회상에 잠길 무렵 두 사내는 A의 예전 직장이 있던 을지로입구역에서 내렸다. A에서 저 두 남자로 몇 번이나 세대 교차가 되는 동안 A의 예전 회사는 유일하게 몇십 년간 같은 장소에서 본사를 운영하고 있다. 시대가 변하는 동안 세상의 많은 것들이 변하는데, 어떤 것들은 변하지 않고 그대로 있다는 점이 A에게는 많은 것을 느끼게 해주었다.

시청역에 도착하자 어떤 젊은 학생이 지하철에 탑승해 바로 A가 있는 노약자석에 기대어 핸드폰을 보고 있었다. 젊은 학생의 잠바를 가만히 보고 있자니 아들놈이 나온 똑같은 대학교의 이름이 적혀있는 요즘 말하는 '과잠'을 입고 있는 학생이었다. 얼마 전 뉴스를 보니 대학생들이 자기 학교 이름과 과가 적혀있는 가죽 잠바를 입는 것이 유행한다고 하였다. 팔 옆에는 본인의 입학 연도를 쓴다고 하였는데 숫자를 보니 올해 입학한 신입생 같아 보였다.

버건디 색상의 과잠을 자랑스럽게 입고 있는 학생을 보고 있자니 또 아들 녀석 생각이 났다. 공부야 장학금을 받을 만큼 잘하던 녀석이었는데 A와 A의 마누라를 딱 하루 걱정시켰던 날이 있었다.

1980년 당시는 야간통행금지가 있던 시기여서 밤 10시까지는 무조건 집에 들어와 있어야 했다. 야간통행금지 시간을 잘 못 지켰다가 는 경찰에 잡혀가기도 하였다. 그래서 그때는 어떻게든 영업일 하나 더 따오려고 집에 늦게 들어간 것도 있었지만 경찰에 끌려가지 않기 위해서 몰래 영업하는 술집에 가서 늦게까지 술을 마시다가 새벽에 씻고 바로 출근하기도 했다. 물론 그럴 때마다 A는 집에 있는 마누라 가 걱정하지 않도록 미리미리 전화를 해두었다. 원래 회사에서 영업 하라고 놓아준 전화기였는데 집에 안 들어가 도 될 구실을 만들어 준 장본인이기도 하다. 그래서 A의 마누라는 젊은 시절 집에 있는 그 전 화기를 별로 좋아하지 않았다.

그래서 아들놈도 10시 전이면 항상 집에 들어와서 책을 펴고 공부 하였다. 가끔 늦는 날은 학교 근처에 살고 있는 친구 집에서 자고 온 다고 미리 전화를 해주어 A를 안심시켜 주었다.

그러던 1980년 5월 어느 날 대학생들이 거리에 늦은 시간까지 시 위한다고 선포하던 날이 있었다. A는 가족과 저녁을 먹으면서 아들 녀석에게 시위를 나가냐고 혹시나 하고 물어봤다.

"아버지 장학금 못 타면 저 학교 못 다니는 거 아시잖아요. 저 공부 하느라 바빠서 저런 건 신경도 못 써요"

A는 아들의 말에 안심하며 식사를 마치었다.

다음날 회사에 출근하자 회사에서는 오늘 거리에서 비상 상황이 있 을 수 있으니 늦게까지 일하지 말고 일찍 퇴근하라는 공지가 내려왔 다. A는 이게 웬 떡이냐 하면서 동료들과 대낮부터 술이나 한잔 걸칠 지 하다가도 이런 날까지 늦게 들어갔다가는 마누라에게 걱정을 끼칠 것 같아 바로 지하철을 타고 퇴근하였다.

라디오를 듣고 있자 하니 이미 큰 시위가 서울역에서 크게 일어나고 있다고 뉴스가 흘러나오고 있었다. 그리고 시계를 보고 있으니 이미 밤 10시가 넘은 시간이었다. A의 아들은 아직도 집에 귀가 하지 않았었다. 아들 녀석이 분명히 어제 시위에 가지 않겠다고 하였는데… 12시가 넘어도 1시가 넘어도 아들놈은 들어오지 않았다.

A와 A의 마누라는 뜬눈으로 밤을 지새울 수밖에 없었다. 아들 녀석이 왜 들어오지를 않는지. 혹시 저놈도 시위에 참여했다가 끌려간건 아닌지… A는 걱정이 되어 그날 출근하지 않고 회사에는 급한 일이 있어 출근하지 못하고 월차를 쓴다고 아침에 전화를 해두었다. 아침에 경찰서에 가서 아들 녀석이 어디 갔냐고 신고하지도 못하고 발을 동동 굴리며 기다리는데 해가 중천이 되어서야 아들 녀석이 집에 들어왔다.

알고 보니 아들 녀석은 친구들과 도서관에서 공부한다고 하다가 시간이 너무 늦어 근처 친구 집에서 하룻밤 자고 왔다고 한다. 학과 전화기로 집에 전화하려고 하였는데 학생 시위 때문에 학과 전화기를 다 끊어버렸다고 한다. 공부하느라고 늦은 녀석을 혼내지도 못하고… A 부부가 큰 걱정을 하긴 하였지만 다음부터 조심하라고 하며 가슴을 크게 쓸어내렸던 엄청난 사건이었다.

Ch. 3
"당신 여기서 이렇게 자면 감기 걸려요. 어여 들어와서 이불 덮고 주무세요"

예전 생각에 잠기다 보니 A는 자신도 모르게 잠이 들었었나 보다. 근데 하필이면 그 꿈에 A의 마누라가 나왔다. 사실 요즘 자꾸 마누라가 꿈에 나온다. 근데 이상하게 하나같이 다 A에게 따뜻한 모습으로만 꿈에 나온다. 어떤 날을 따뜻한 밥상을 차리는 모습이, 어떤 날은 같이 여행을 즐기는 모습이, 어떤 날은 추운 A에게 이불을 덮어주는 모습이... 부쩍 요즘 마누라가 자주 꿈에 나온다.

세상을 떠난 마누라가 요즘 들어 더 보고 싶은 건지 아니면 A 자신이 세상을 떠날 때가 되었던 것인지 생각에 잠길 즘 지하철이 강남역을 지나고 있었다. 아들 녀석과 같은 대학교에 다니는 학생이 내린 신촌역 부근에서 잠이 들었으니 한 40분 정도 잠에 들었다.

사실 이 나이에 이렇게 오래 앉아서 잠이 들면 허리가 너무나도 아프다. 그렇다고 서 있으면 또 다리가 아프니 잠시 뒤 잠실역에서 내려 집에 돌아가자고 생각하였다. 어차피 또 마침 화장실도 들려야 하니 한 번 내리는 것도 나쁘지 않았다.

A는 하루에 보통 지하철 외선 순환을 3~4번 돈다. 오전에 1번, 오후에 2~3번. 점심을 먹고 이미 한 바퀴를 돌았으니, 오늘은 1~2번 정도 남으면 셈이다. 보통 저녁 약속이 있는 날은 저녁 약속 전까지 3번을 돌고 없으면 저녁 끼니를 지하철에서 때우고 한 번 더 외선 순환을 타고 집에 귀가한다.

오늘은 마침 저녁 약속이 있어서 1번 더 돌 셈이다. A는 잠실역에서 잠시 하차하여 간단하게 몸을 스트레칭하고 화장실을 다녀오고 다시 잠실역 2호선 외선 순환 플랫폼에서 지하철을 기다린다. 바로 뒤에 다른 노부부가 A의 뒤에 서 있다가 지하철 문이 열리고 A의 맞은편에 노부부가 앉았다.

"지하철 문 닫습니다'

지하철 문이 닫히자, A는 다시 한번 주위를 둘러보기 시작했다. A의 맞은편의 노부부는 A가 보아도 참 건강한 노인들이었다. 아무리 봐도 본인가 비슷한 나이인 것 같은데 옷을 입은 것부터 대화하는 말투까지 젊은 사람 못지않았다. 노부부가 두 손을 꼭 잡고 앉아서 가는 걸 보니 A는 이상하게 아까 나왔던 마누라가 한 번 더 생각이 났다. 아마도 마누라가 사고만 없었다면 지금 A도 마누라와 지하철을 타고 건강하게 매일 놀러 다닐 수도 있었을 것이다.

이윽고 성수역쯤에 다다르자, A 맞은편의 노부부가 내릴 채비를 한다.

"여보 오늘은 오랜만에 백화점에서 손주들 옷도 사주고 고마워요"

"그럼 내 새끼들의 새끼들인데 당연히 이럴 때 사 줘야지. 그러려고 내가 젊을 때 돈도 모아둔 건데 말이야."

"그러게요, 며느리가 얼마나 고마워하던지. 그래도 하긴 우리가 이럴 때 한 번씩 애들 챙겨줘야지 요즘 세상에 월급만 벌어서 자기들 뭐하기도 빠듯한데... 우리 때 보다 더 먹고살기 바쁜 것 같기도 하고"

"애들 학원 가야 한다고 우리 알아서 간다고는 했지만, 손주 녀석이랑 저녁까지 먹고 싶었는데 참 아쉬워"

이런저런 생각을 하다 보니 어느새 중간 지점인 충정로역에 도착하였다. 충정로도 A에게는 많은 추억이 있는 곳이었다. 한국 영화의 메카, A가 자주 갔던 스카라극장이 있던 한국영화사에 중요한 장소이다. 당시 명보극장, 국도극장, 대한극장 등 한국의 영화 산업을 이끌었던 다수의 극장이 있었지만, 스카라극장은 외국의 유명한 오페라 극장처럼 2층 난간에서 영화를 볼 수 있는 독특한 구조의 영화관이었다. 다른 극장들과도 다르게 이곳은 외화 영화를 많이 상영하던 영화관이었다. 더욱이 이 스카라극장은 A가 마누라를 만날 수 있었던 아주 뜻깊은 장소였다.

대학생 시절 미국 할리우드 영화에 심취하여 있던 A에게는 수업이 끝나면 극장으로 가는 것이 가장 중요한 취미 생활 중 하나였다. 학생 때 넉넉지 않은 주머니 사정이었지만 밥값을 아끼어서라도 A는 영화를 꼭 봐야 했다.

1969년 미국보다 4년 늦게 개봉했던 사운드오브뮤직이란 영화는 스카라극장에서 꼭 봐야만 하는 영화 중 하나였다. 아직 한국에서는 생소하였던 브로드웨이 원작인 뮤지컬 영화였고, 주위에서는 미국 브로드웨이 느낌을 받기 위해서는 꼭 스카라극장 2층 석 난간에서 봐야만 그 진정한 면모를 느낄 수 있다고 하였다.

지금처럼 미리 예매할 수 있던 시절이 아니었기 때문에 당시 극장에서 영화를 보기 위해서는 꼭 매표소에 들려 표를 산 뒤 선착순으로 앉아야 했다. 2층 난간에 앉아 느껴야 하는 영화이기 때문에 이른 시간에 도착하여야만 원하는 자리를 선점할 수 있었다. A는 영화 시간보다 2시간 일찍 도착하여 미리 표를 끊고 기다리다가 상영관에 들어

갈 셈이었다.

"사운드오브뮤직 1장이요"

"어머 미제 영화 좋아하시나 봐요. 세계 2차 전쟁 영화라고 하는데 음악이 일품이라고 하더라고요"

이날이 A가 마누라를 처음 본 날이었다. A는 순순히 영화를 좋아해서 찾아온 극장이었지만 그날은 영화 말고도 앞으로의 미래를 같이할 중요한 사람을 만나는 날이기도 하였다.

사실 A는 그날 영화의 내용이 잘 기억나지 않는다. 그날 A는 마누라를 처음 만난 날이었건 어떻게 든 그녀를 다시 만나야 한다는 생각뿐이었기 때문이다.

"…"

오늘은 참 신기한 날이다. 이상하리만큼 오늘은 A의 마누라하고 아들놈이 유난히도 생각 나는 날이다. A의 마누라가 살아있었다면 A도 오늘 같은 날 마누라와 저런 얘기를 하고 있었을 거고 아들 녀석이 한국에 있었다면 아마도 A가 아들 가족 내 데리고 백화점 가서 손주들 옷도 사주었을 것이다. 멀티플렉스니, 뭐니 번쩍번쩍 한 극장에서 마누라와 영화도 봤을 것이다. 마침 며칠 전 잠실역 근처 영화관에서 사운드오브뮤직이 재개봉한다는 광고도 보았던 터이다.

노년의 즐거움을 즐기기에 딱 좋은 나이에 매일 지하철만 타고 있으니… 왠지 모르게 가슴 한편이 시려 왔다.

A는 오늘은 왠지 모르게 아들 녀석의 얼굴이 보고 싶어 이번 순환선만 타고 친구와의 약속 전에 아들 녀석과 통화를 하여야 한다는 생

각이 들었다. 뉴욕에 있는 녀석이니 출근 전에 통화는 가능할 터이다. 혹시 아침부터 바쁠지 모르니 이따가 통화나 한 번 하자는 문자 한 통을 넣어둔다.

....

오늘은 친구와 잠실새내역에서 보기로 하였다. 평소보다 한 정거장 덜 타고 내리는 날이기도 하다. 오랜 시간 동안 보지 못하였던 친구였기 때문에 살짝 설레기도 하였다. 지금 A가 있는 지하철역을 보니 아직 20분 정도는 더 가야 잠실새내역에 도착한다.

아까 잠실 졸았는데 A는 이상하게 지금도 다시 피곤한 느낌이 들었다. 나이를 진짜 먹긴 먹었나 보다. 가만히 앉아만 있어도 잠이 몰려오니 말이다.

A는 잠깐 눈을 붙이기로 한다. 어차피 앉아서 졸고 있으면 허리가 아파서 몇 정거장 가지 못하고 깨어나기 때문이다.

A는 잠시 눈을 감자마자 바로 잠이 들었다.

Final Chapter

B는 오랜만에 집에서 나와 A와 잠실에서 술을 한잔하기로 했다. B는 본인도 40이 넘어서 결혼하였더니 딸도 덩달아 늦게 결혼하는 바람에 70이 넘어서야 겨우 손주를 보았다. 그래서 B는 80이 넘어서도 부인과 함께 맞벌이하는 딸의 손주를 보고 있었다. 나이 80 다 먹고 여행 맘대로 가기도 힘드니 이렇게 친구와 술 한잔하는 날은 꽤 반가운 날이다.

B는 A와 오랜만에 잠실새내에 예전부터 자주 가던 돼지갈빗집에서 만나기로 하였다. 둘 다 노인네이다 보니 신청이랑 지명이 더 입에 맞지만, 지하철역은 잠실새내역으로 바뀐 지 꽤 오래다.

B가 시간에 맞추어 돼지갈빗집에 도착하기 위하여 잠실새내역에서 내릴 채비를 하는데 출입문이 열리자마자 웬 구급대원들이 옆 칸으로 들어간다. 반대 칸에 있어 전혀 상황을 알지 못하였던 B도 궁금하여 주위를 서성였다. 상황을 보니 웬 노인네 하나가 심정지 상태로 지하철 바닥에 누워있어 구급대원들 빠르게 심폐소생술을 진행 중이었다. 상황을 보자 하니 그 노인은 이미 심정지가 꽤 되어있는 상태였던 것 같았다.

쓰러진 노인은 B와 동갑 정도 되어 보이는 사람 같았다. 구급대원들을 더 이상 지하철 운행을 지연시킬 수 없어 밖으로 노인은 꺼낸 뒤 실을 것에 쓰러진 노인을 옮기고 올라갈 채비를 하고 있었다.

"참 안타깝네, 저 나이에 지하철 타다가 세상을 떠나다니 말이야."

안타까운 생각이 들 찰나, 격한 움직임으로 얼굴을 가리는 덮개가 내려가는 순간 B는 실을 것 위에 있는 A의 얼굴을 보았다.

"A야! 네가 거기 왜 누워있냐!"

"혹시 이분과 아시는 분인가요?"

구급대원의 질문에 B는 고개를 끄덕였다.

"신원 파악을 위하여 저희와 잠시 동행해 주실 수 있을까요?

B는 구급대원을 따라 엘리베이터에 같이 탑승하여 지하철역을 빠져나갔다. 오랜만에 친구를 볼 생각에 마음이 들떠있었는데… 이렇게

친구를 보내는 날이 될지 상상도 하지 못하였다.

B와 구급대원들이 지하철을 빠져나가니 사람들이 저마다 얼굴을 가리고 몸을 겨우 가리고 비를 하며 지하철 입구로 들어가고 있었다. 예보에도 없던 소나기가 갑자기 내리고 있었다.

"어르신, 지금 비가 많이 오긴 하는데 저희도 빨리 움직여야 해서 바로 구급차 탑승할 수 있으실까요? 바로 옆에 있기도 하고요"

"예. 그러시죠. 빨리 병원으로 가야죠…"

B는 구급대원과 지하철역을 빠져나와 빠르게 구급차에 탑승했다.

어찌나 소나기가 세차게 내리던지 잠깐 걸어오는 사이 B는 속옷까지 젖을 만큼 비를 맞았다.

B는 정신을 차리고 A의 모습을 보았다. A도 비를 맞아 이미 머리부터 발끝까지 젖어 있는 상태였다. 하필이면 가는 날 비까지 와서 비에 젖은 생쥐처럼 푹 처져 있는 모습이었다.

그렇게 A는 자신이 떠나는 날까지 자신이 가장 사랑하던 지하철 2호선 외선 순환에서 마지막 순간을 맞이하였다.

문득 B는 A의 부인이 생각이 났다. A의 부인도 비가 억세게 오는 날 지하철역 근처에서 세상을 떠났는데, 남편인 A마져 비에 젖은 채로 지하철역에서 세상을 떠났기 때문이다.

"천생연분이 따로 없구먼. 살아생전에도 그렇게 잉꼬부부더니 갈 때도 비슷하게 가고 말이야"

구급차 안은 쥐 죽은 듯이 조용하였다. 그도 그럴 것이 친구가 갑자기 지하철에서 죽었다는데 젊은 구급대원들이 뭐라고 B에게 말할 수도 없는 상황이었다.

A의 주머니에서 핸드폰이 큰소리를 내면 벨 소리를 울리고 있었다. 누구에게서 전화가 온 모양이다. 전화 소리를 무시할 수 없으니, B는 친구의 주머니에서 핸드폰을 꺼내었다. B는 전화를 받을까 잠시 망설이다가 누군가는 빨리 알려주어야겠다는 생각에 초록색 통화 버튼을 눌렀다.

"나다 너네 아버지 친구 B. 그래, 미국에서는 잘 지내고 있고? 내가 너네 아버지 대신 전화를 받은 건 다른 건 아니고…"

-끝-

온기를 느끼고 싶어서

단지

단지　　작가 예명인 '단지'는 태생부터 통통하고 동그란 느낌이었기에 집안에
서 별명으로 부르던 단지를 따와서 짓게 되었다. 엄마의 된장찌개와 간
장계란밥을 제일 좋아한다. 자취를 하지만, 주 3일은 부모님 집에 가
있는다. 그 중 하루는 꼭 된장찌개와 간장계란밥을 먹는다. 간식으로는
떡을 좋아해서 떡을 만드는 취미가 있다. 떡 자격증을 땄으며, 개성약
과를 제일 잘 만든다.

주변의 한국인분만 아니라 각종 미디어에 언급되는 대부분 한국인들은 한국을 벗어나 더 좋은 해외로 떠나기를 갈망한다. 그들이 가고자 하는 외국은 주로 앵글로 색슨으로 이뤄진 국가들이었다. 국내 미디어에서 미국, 호주, 유럽 등은 복지, 자연, 자유가 있다고 비춰 친다. 나 또한 그러한 생각에 만 열세 살에 한국을 떠난 조기 유학생 시절부터, 이십 대 후반의 직장생활까지 해외에서 살아온 것 같다. 만서른이 된 올해 나는 여타 한국의 젊은이들과 마찬가지로, 자신이 가지고 있지 않은 것을 갈망한다는 이유로 한국으로 돌아왔다.

내가 기억하는 첫 해외의 기억은 미국 라스베이거스에서 본 전광판이다.

초등학교 5학년 때 미국으로 이민 간 아빠 후배분 집에 초대받아한달간 미국 여름 캠프를 갔었다. 도시 외곽에 있는 곳이어서 높은 건물도, 화려한 장식도 없는 그런 동네였다. 내 기억 속에 학교는 단층으로 넓게 옆으로 퍼져있었다. 학교 앞 주차장 옆에는 푸르른 잔디밭이 있었고 그곳에는 나무 몇 그루가 심겨 있었다. 그 나무 옆에서 영어를 모르는 상태로 갔던 나는 한국어로 친구들에게 '무궁화꽃이 피었습니다.'를 가르쳐 함께 놀았던 기억이 어렴풋이 맴돈다.

여름 캠프가 끝나고 아빠, 엄마 그리고 오빠가 미국으로 넘어와 LA에서 라스베이거스까지 2주간 자동차 여행을 하였다. 엄마, 아빠는 장거리 운전, 언어장벽, 미친 물가 등에 우리에게 원하시던 만큼 많은 걸 보여주지 못하고, 해주지 못하여서 아쉬움이 많이 남는 여행이라고 아직도 말씀하신다. 하지만, 나는 지금까지 여러 차례 가 본 미국 중에서도 그때가 아직도 가장 화려하고 멋있는 미국을 보여주신 여행이라고 기억된다.

라스베이거스로 가던 늦은 밤 오빠와 나는 뒷좌석에서 잠이 들어있었다. 아빠와 엄마는 앞자리에서 영어로만 안내하는 내비게이션을 보시며 종착지를 향해 달렸다. 아무것도 보이지 않는 사막을 몇 시간을 달렸는지 모르겠다. 차가 라스베이거스로 진입하는 고가도로로 들어섰을 때, 아빠는 격양된 목소리로 뒤쪽을 돌아보면서 우리를 깨우셨다.
"호야! 나야! 일어나봐라! 이 봐 봐라!"
우리는 잠투정을 부리며 한 번에 일어나지 못하였고, 아빠는 다시 한번 우리를 깨웠다.

천천히 눈을 뜨고 바라본 바깥에는 라스베이거스가 고가도로에서 한눈에 내려져 보였다. 마치 요즘 명동에 가면 보이는 화려한 크리스마스 트리가 몇백 그루가 심겨 있는 풍경처럼 도시가 반짝였다. 정면의 화려함에 놀라 두리번거리다가 오른쪽으로 나는 고개를 돌렸다. 오른편 뒷좌석에 앉아 있던 나는 고가도로 밑에 위치한 주유소에 딸린 7/11 옥상의 커다란 슬러시 모형의 간판을 보았다. 조명이 밑에서 슬러시를 향해 빛을 쏘고 있었다. 아마도, 핑크색 슬러시였던 것 같다. 어린 기억 속의 나는 외국에 살면 저런 크고 멋진 슬러시를 매일 먹을 수 있을 거로 생각했다. 그리고, 그런 나라에서 살아보고 싶었다.

엄마의 이십 대 시절 친했던 언니가 있었다. 편의상 심 씨라고 하겠다. 한 날은 엄마께서 오랜만에 심 씨와 통화를 했다. 심 씨는 자기는 현재 호주, 골드코스트에서 한국인 홈스테이를 운영하고 있으니, 자기를 믿고 아이들을 보내라고 했다. 엄마는 그 말을 진심으로 믿었다. 엄마는 오빠를 가장 먼저 단기 어학연수로 심 씨에게 보냈고, 얼마 뒤에는 사촌 언니도 보냈다. 몇 년 후, 부모님께서는 저녁을 먹고 나서 해외연수에 대한 나의 의견을 물어보았다. 그 말을 처음 들은 나는 화려한 라스베이거스처럼 호주도 그럴 것 같다는 생각이 들었다. 나는 당연히 좋다고 하였다. 그렇게 나는 1년 단기 호주 유학을 가게 되었다. 약속된 기간이 짧아도 개의치 않고 가게 된 거 같다.

처음 호주에 갈 때는 나와 두 살 터울인 사촌 동생과 같이 갔다. 나 또한 부모님 없이 타는 비행기가 두렵고 무서웠지만, '할 수 있어! 내가 누나야!'라는 생각에 정신을 바짝 차리고 간 기억이 난다. 2006년의 비행기는 지금보다 더 지루하였다. 지금은 개개인의 모니터로 원하는 최신 영화를 볼 수 있지만, 그때는 고작 두 편의 영화를 모든 사람이 같이 볼 수 있는 큰 모니터에 틀어주었었다. 비행시간 또한 현재보다 훨씬 느렸었다. 비행기는 한국에서 저녁에 떠나 아침에 도착하는 비행기였다. 평소의 나였다면, 이미 잠이 들었을 시간이지만, '새로운 나라를 간다.' 그리고 '동생을 돌봐야 한다'는 생각에 잠을 전혀 자지 못했다.

브리즈번 공항에 도착했을 때 검역관에게 심 씨가 부탁한 고춧가루가 걸렸다. 검역관이 한참을 검사를 하는 동안, 나는 설명을 위해 전자사전을 찾아 먹는 시늉 등을 하며 말했다.

"This spicy… This chilly…"

영어를 잘 모르던 사촌 동생은 공항에서 여러 사람들이 이미 빠져나간 상황에 우리만 남아있어 두렵고 무서워했었다. 동생은 끊임없이 나에게 물었다.

"누나 무슨 일이야? 우리 못 나가?"

그런 말을 들을 때마다 나도 정말 무서웠다. 도착하자마자 한국으로 돌아갈 수도 있다는 생각이 나를 덮쳤다. 나에게는 억 만년과도 같던 시간이 지나 검역관은 우리를 호주로 들여보내 주었다. 우리 둘의 불안한 감정들이 검역관에게 전달이 되었던 것 같다.

공항을 빠져나와 만난 심 씨는 편한 인상의 분은 아니었다. 눈썹은 슈퍼 마리오 게임의 나쁜 버섯들처럼 얇고 뾰족하게 올라가 있었다. 화장기 없는 맨얼굴에 버건디 계열의 빨간 립스틱을 바르고 있었다. 펑퍼짐한 옷 때문인지 키가 작던 어린 나의 눈에는 더욱이 커 보였다.

그녀가 우리에게 던진 첫 마디는 오래 걸린 어린 우리를 걱정하는 말이 아닌, 주차비를 걱정하는 말이었다.

"오래 걸렸네, 주차비 많이 나오겠다."

사촌 동생과 나는 각 20kg의 가방을 가져갔었다. 둘이서 주변 어른들의 도움을 받아 컨베이어 벨트에서 짐을 옮기고 카트도 밀었다. 엄청 힘들었었다. 나는 심 씨를 만나 도와주실 것을 기대하며 쳐다보았으나 그녀는 바로 등을 돌려 주차장 쪽으로 걸어갔다. 그리고, 짐을 싣는 것조차도 도움을 받지 못하였을 때 가족만이 나를 도와주는 사람이구나, 이분은 우리의 부모님이 아니구나. 라는 걸 느꼈다. 도착하자마자 이런 생각들이 드니, 설렘이 조금 수그러들었던 것 같다.

심 씨네 집은 마당 포함 100평대의 집이었다. 본채는 있었고, 그 옆에 이층인 별채가 하나 더 있었다. 별채는 남자 하숙생들의 방, 본채는 여자와 아이들 그리고 심 씨네 가족이 머물렀다. 밥을 먹거나, 거실에서 다 같이 놀거나 하는 일은 본채에서 모든 일이 이루어졌다. 사촌 동생과 나는 서로 다른 공간에서 머물렀다.

나는 모르는 다른 여자애와 함께 방을 쓸 것이라면서, 심 씨의 딸이 나의 방을 보여줬다. 2층 구석 방이었고, 테트리스 모양으로 막 집어 넣은 침대 세 개가 코너 쪽으로 모여 있었다.

그 시절 심 씨네에서 우리가 먹는 음식은 심 씨네 가족 또는 골프를 위해 유학 온 돈 있는 부자들과는 우리가 먹는 음식이 달랐었다. 그 사람들은 아침에는 시리얼, 토스트, 과일, 점심은 비싼 햄이 들어간 도시락이었다. 우리에게는 밥과 곰국, 사과, 배 등 대부분이 저렴한 류였다. 가끔 바비큐를 할 때면, 그들은 스테이크, 우리는 패키지 소시지였다.

이 글을 쓰려 기억을 더듬기 위해 사촌 동생에게 물어보니 사촌 동생은 더 이상 곰국을 먹지 않는다고 한다. 한 날 아침에, 동생이 심 씨에게 자기도 콘플레이크를 먹어도 되냐고 물어보니 심 씨는 이렇게 답했다고 한다.
"너네는 오스트레일리안이 아니잖나! 밥 먹어 밥!"
나도 아직 사골국은 그리 좋아하지 않는다. 우리는 심 씨네에서 정말 지겹도록 먹었었다.심 씨는 부모들에게 자기가 아이들을 위해서 사골로 곰국을 끓여주는 '인심 좋은 홈스테이 엄마'라는 것을 강조했기 때문에 거부감이 아직도 드는 것 같다.

지금 생각해 보면 곰국이 콘플레이크를 매번 사시는 것보다 비교적 저렴해서가 아니었을까? 라는 생각이 든다. 당시만 해도 우리가 살던 동네에는 해외동포가 그리 많지 않았었다. 호주 사람들이 사골뼈를 사는 대부분 이유가 강아지에게 뼈다귀를 주기 위해서였다. 아직도 그런 이유에서 애완동물 가게에서는 사골뼈를 많이 판매하고 있다. 그렇기에 현재도 1kg을 만원이 되지 않는 가격에 구매할 수 있었다. 쌀 또한 동일한 이유였던 것 같다. 시리얼 한 박스는 십 대 아이들에게는 한 끼나 간식거리였지만, 쌀은 1kg을 사면 모든 아이를 먹이고도 남기에 우리에게 밥을 먹게 했던 것 같다.

심 씨네 집에는 여러 배경의 아이들이 있었다. 심 씨는 아이들을 돈으로 구분해 놓았던 것 같다. 누구의 부모가 잘 사는지, 못 사는지, 직업이 무엇인지 등. 나에게도 자주 그런 부류의 말로 나의 부모를 무시하는 말을 종종 했다.

"너 내가 너네 엄마 알아서 싸게 해주는 거야! 보통 오지* 집에 가면 이것보다 비싸게 받아!'

"너네 아빠 고만고만한 회사 다니는데 여기까지 온 너도 대단하다!"

심 씨가 이런 말을 자주 반복해서 하다 보니, 나는 어릴 때 우리 집이 찢어지게 가난한 줄 알았다. 심 씨가 무시하던 아이 중 어린 남매가 있었다. 내가 중1이던 때 남자아이는 4학년, 여자아이는 2학년이었던 거 같다. 그 아이들의 집에는 큰돈이 없으면서 아이들을 보냈다

---

*   오지 (Aussie): '호주사람'을 뜻하는 호주 사투리

고 심 씨는 매일 투덜댔다. 그리고, 남자아이에게는 자주 손을 올렸다. 심 씨는 아이들의 엄마가 언젠가 아이들을 보러 호주에 오셨을 때, 집 안 청소를 하고 간 적이 있다고 하셨다.

"돈이 없으니 와서 애들 잘 봐달라고 청소하는데 진짜 민폐였어. 오스트레일리아는 드라이 배스룸*이잖아. 근데 무식하게 물청소를 하더라고 무식하고 돈 없으면 민폐라도 끼치지 말아야지!"

아이들은 심 씨가 그렇게 자기 엄마를 욕하는 걸 자주 들으며 항상 주눅이 들어있었던 것 같다. 나 또한 심 씨의 말을 들으며, 우리 집이 못산다고 믿곤 했었다. 그렇기에 민폐를 더더욱 끼치지 말아야겠다는 생각했다.

이만큼 읽은 독자는 의문을 가질 수도 있다. 왜 부모에게 전화해서 말하지 않았는지, 왜 학교에 우리들은 알리지 않았는지. 어린 나에게는 다양한 이유가 있었다. 첫 번째는, 원래 부모님을 떠나면 이러한 일은 다반사라고 생각했다. 두 번째는, 이 모든 것을 말할 경우 호주인 집으로 보내버릴 줄 알았다. 세 번째로, 심 씨가 엄마의 오랜 친구였기에, 엄마를 실망하게 하고 싶지 않았다. 마지막으로, 심 씨는 우리의 일거수일투족을 지켜보고 있었다.

2006년에는 스카이프, 070 해외전화라는 두 개의 옵션만이 존재

---

* 드라이 배스룸 (Dry Bathroom): 건조식 화장실

했었다. 우리가 부모님과 통화를 할 때면 심 씨는 우리 앞에 앉아 있거나, 문을 열어놓고 통화할 것을 강조했었다. 지금 보면, 강요라는 말이 더욱 맞는 거 같기도 하다. 우리가 조금이라도 이상한 말을 하려고 하면, 전화를 빼앗아 가 부모에게 먼저 나서서 말했었다.

"어머 얘가 너무 신나서 흥분했나 봐~ 어머 얘 너 그런 단어 쓰면 엄마가 오해하잖아"

모든 부모님은 그런 심 씨를 믿었던 것 같다.

2007년, 나는 호주의 한 사립학교에 9학년으로 들어가게 되었다. 입학 첫날 만난 국제학부 담당 선생님은 아만다라는 선생님이셨다. 선생님은 어깨까지 내려오는 빨간 곱슬머리에 큰 입으로 웃으면 윗니가 다 보이게 늘 웃고 계시는 그런 분이셨다.

선생님께서는 보드에 잔뜩 우리의 정보가 적힌 A4용지를 프린트해서 들고 다니시며 우리에게 학교를 소개해 주셨다. 학교 투어가 끝난 후 선생님은 우리를 교무실에서 국제 학생 하나하나의 영어 이름을 물어보셨다. 모두 영어 이름을 가지고 있었다. 에밀리, 다니엘, 존 등. 그 당시 나는 영어 이름이 없었다. 나의 이름은 한국에서도 받침이 없는 6자이고, 영어 또한, 총 알파벳 6자인 아주 쉬운 이름이기에 영어 이름의 필요성을 못 느꼈었다. 나의 차례가 왔을 때 선생님께 나는 영어 이름이 없다고 말씀드렸다. 선생님께서는 나는 이제 호주학교 학생이니 꼭 영어 이름이 필요하다고 했다. 나는 선생님께 나의 이름은 쉬우니 필요 없다고 몇 번이고 말했지만, 소용은 없었다. 그렇게 만들어진 나의 영어 이름은 전혀 맘에 드는 이름이 아니었다. 대학교에 입학하자마자 나는 4년간 쓰던 내 이름을 버렸다.

ESL*수업이 끝나고, 이동시간에 학교에서 친한 '마유' 언니와 얘기했다. 그 언니는 한일 혼혈이었고 부모님과 함께 이민을 왔다. 언니는 나에게 학교 적응을 잘하고 있는지, 재밌는지 등을 물었다. 나는 가족과 이렇게 오랫동안 떨어져 본 게 처음이라 조금은 돌아가고 싶다고 말했다. 대화하다 보니 어쩌다 보니 심 씨네의 이야기까지 털어놓게 되어버렸다. 내 이야기를 들은 언니는 심각성을 깨닫고 바로 아만다 선생님께 말씀드렸다. 아만다 선생님이 나를 보자마자 '괜찮니?'라고 물으셨고 그 말은 참고 있던 나를 울리기에는 충분하였다.

울음이 멈추어 갈 때쯤, 마음이 진정되기 시작하였다. 그러나, 곧 사태의 심각성에 생각이 들며 불안감이 찾아왔다. 심 씨가 나로 인해 처벌받을 수도 있겠다는 생각에 이 상황을 다시 무마시키려고 했지만, 이미 너무 멀리 와 버렸음을 멀지 않아 깨닫게 되었다. 아만다 선생님과의 상담을 시작했다. 선생님은 나에게 갇혀있는 것 같은지, 현재 홈스테이에 몇 명의 학생이 머물고 있는지, 홈스테이에서 밥을 잘 주는지 등 여러 가지를 여쭤보셨다. 나는 하나하나 답을 했다.

---

* English as a Second Language, 영어가 모국어가 아닌 사람들이 영어 (일반적인 영어와 동일)

이야기가 다 끝나갈 시점에는 하교 시간을 훌쩍 넘은 오후였다. 선생님은 내가 하교 버스를 놓쳤으니 심 씨가 데리러 올 수 있는지 묻기 위해 전화를 걸었다. 심 씨와 한참의 대화 끝에 선생님은 나에게 전화기를 건네주셨다. 내가 전화를 건네어 받으니, 심 씨는 매우 화난 목소리로 나에게 소리를 지르며 말했다.

"너! 뭐라 한 거야! 시발! 나 너 못 데리러 가고, 너 이제 이 집에서 못 사니깐 그렇게 알아!"

심 씨는 그렇게 전화를 끊었다. 나의 머릿속은 '어떡하지'로 가득찼다. 선생님께 전화를 돌려드렸다. 그리고 상황을 무마하기 위해 다른 아이들 때문에 못 오신다고 거짓말을 했다.

이 이야기를 들은 선생님은 나를 데려다 줄 수 있는 다른 선생님을 찾아 나섰다. 나와 같은 학년인 에이미의 아빠이자 같은 동네 주민인 미스터 벤지가 흔쾌히 나를 데려다주기로 하셨다.

그날은 하늘에 구멍이 난 듯 비가 많이 오던 날이었다. 집으로 가는 길은 정확히 기억나지 않는다. 하지만, 도착한 이후는 뚜렷하게 기억난다. 심 씨의 집에 도착하니 대문은 잠겨있었고 미스터 벤지와 내가 서서 집의 초인종을 누르니 아무 답이 없었다. 비를 피해 차에 타 심 씨에게 전화를 걸었다. 심 씨는 내가 더 이상 그 집에 들어올 수 없고, 내가 자초한 일이니 알아서 하라고 하셨다. 이제서야 나는 돌아갈 곳이 없고 내가 큰일을 저질렀다는 생각이 파도처럼 몰려와 나를 감쌌다. 울면서 미스터 벤지에게 말하니, 선생님께서 아만다 선생님과 통화를 하셨다. 잠시 후 선생님께서는 오늘 하루는 미스터 벤지 선생님 가족과 지내자고 하셨다. 그날 미스터 벤지의 집으로 향하는 차에서 엄청 많이 울었다. 하늘에서 내리는 비보다 내가 흘린 눈물의 양이 더 많지 않았을까라는 생각이 들 정도로 정말 많이 울었다.

다음날 사태의 심각성을 깨달으신 아만다 선생님은 다음 홈스테이를 찾을 때까지 나를 선생님의 집에서 함께 있으라고 제안해 주셨다. 긴 대화 끝에 내가 바로 호주 사람의 집에 가는 것을 불안해한다는 것을 인지하시고 다른 한국인 학생과 함께 있을 수 있도록 해 주셨다. 나는 4일간 한국인 언니인 '릴리'의 집에서 지내게 되었다. 세 남매가 유학을 와, 같이자취하던 집이었다.

며칠 후, 아만다 선생님께서 나를 따로 사무실로 불렀다. 호주 홈스테이를 찾았으니, 그리로 옮기는 것을 권유했다. 나는 그렇게 로빈, 존과 살기 시작했다.

로빈은 푸근한 인상을 가지고 있었고, 존은 '업'에 나오는 할아버지와 똑같이 생겼었다. 그들은 네 명의 아이의 엄마/아빠이자 여덟 명의 손주의 할머니/할아버지였다.

그들은 나를 자신들의 막내딸로 키우셨다. 그리고 로빈과 존도 나에게도 부모와 같은 존재였다. 존은 내가 어려워하는 단어들을 같이 읽으면서 발음하는 법, 읽는 법을 가르쳐 주셨다. 내가 도시락을 놓고 가는 날에는 내가 굶을까 걱정되어 항상 10시 전에 학교까지 가져다

주셨다. 로빈은 내가 학교에서 영어를 알아듣지 못해 수업 시간에 잔다는 전화를 받은 이후 매일 저녁을 먹고 같이 '로미오와 줄리엣'을 읽으며 몸소 단어를 설명해 주셨다. 내가 학교에서 사고를 치고 퇴학을 당할 수도 있는 위기에 놓였을 때도 로빈과 존은 직접 학교로 오셔서 나를 보호해 주셨다. "틴에이저예요. 틴에이저들은 실수해요. 당신들도 틴에이저였던 적이 있잖아요. 다시는 하지 않도록 내가 잘 교육할 테니, 너그럽게 봐주세요." 나는 그분들 덕에 학교에서 무사히 졸업할 수 있었다. 심 씨의 집에선 상상조차 못 할 일들이었던 것 같다.

홈스테이도 학교의 수업도 점차 헤쳐 나갔다. 하지만, 우애 관계는 틀어졌다. 심 씨의 집에서 나오면서 심 씨의 집에 있던 모든 아이는 흩어졌고, 한국인들 사이에서 나에 대한 이상한 소문이 돌았다. 또한, 릴리 언니의 집에 있을 때 한 말들이 나에 대한 뒷담의 소재가 되어버렸다. 릴리언니는 나의 왕따를 주동하는 사람이 되어있었다. 나는 점차 그룹에서 제외되었다. 호주의 학교는 학년에 상관없이 점심시간에 학교 여기저기에서 친한 사람들끼리 모여서 간식과 점심을 먹었다. 하루는 간식시간에 늘 모이던 곳에 가니 아무도 없었었다. 혼자 먹을 용기가 없어 학교 여기저기를 돌아봤지만 아무도 찾지 못하였다. 점심시간에도 그들은 보이지 않았다. 다음 날이 되어도, 그 다음 다음 날에도 한국인들을 찾을 수 없었고, 결국 나는 혼자 도서관에서 그 시간을 보냈다.

며칠이 지나 따로 모여 점심을 먹는 한국인들을 보고 다가갔지만,

그들은 나를 투명 인간 취급하거나, 나를 피했었다. 같은 학년에 있는 언니는 심지어 내가 영어를 할 때 너무 외국인인 척한다며, 뒤에 따라 오면서 욕하기도 하였다. 유일하게 우리 아빠만이 학교 내에서 '사'자 직업이 아니셨다. 언니들은 그런 내가 여기 빚을 내고 왔다는 둥. 비웃으면서 많은 말들을 했었다. 나는 그렇게, 한국인 그룹을 떠나 혼자 다니기 시작했다.

저녁을 먹으며 로빈과 존에게 이런 상황들을 말하며, 힘들다고 말했다. 로빈과 존은 "새로운 친구를 사귀는 건 어때?"라고 했다. 그렇게 난 용기를 내 다가간 다른 학생들과 친해지며, 점차 한국 사회와 멀어지기 시작했다. 나는 한국인 외의 다른 아이들과는 많이 친해졌고, 다른 국제 학생들도 문제가 있을 때 나를 찾아왔다. 그리고, 4년 후 국제학부 회장이라는 타이틀과 함께 학교를 졸업 후 대학교에 입학했다.

대학은 심 씨가 "우리 딸이 다니는 대학은 너 같은 반타작은 갈 수 없어."라고 말한 주립대에 들어갔다. 나는 고등학교 때 경영, 회계 수업 등을 가장 좋아했다. 그리고, 다양한 학생들 앞에 서는 것에 즐거움을 느끼며 누군가를 가르치면 재미있을 것 같다고 생각했었다. 그렇게 나는 '경영 교육' 학과에 입학하였다. 공부하고 싶어 들어간 대학이었다.

대학생이 되니 고등학교에서 느낄 수 없었던 자유를 느끼게 되면서 불안감을 느꼈다. 시간표 짜는 법, 숙제가 아닌 과제, 강의 노트, 강의 프린트물, 그리고 엄청 난 교과섯값 등.

고등학교와 같이 한 학년에 60명이 있는 것이 아닌, 1학년부터 졸업생까지 다양한 나이, 성별, 인종이 있었다. 수업을 들으며 스스로 친구를 만들어야 하는 것까지도 새로웠었다. 또한, 대학교 때는 고등학교 때 겪은 인종 차별쯤은 웃어넘길 정도로 더욱 다양하고 심각하게 차별을 겪게 되었다. 팀 과제에서 배제되거나, 언어적 무시 등의 차별은 내 학업에도 영향을 미치게 되었다. 나 홀로 많은 것을 해내야 하는 방식에 다시 한번 혼자가 되었던 거 같았다. 내가 과연 이곳에 있는 것이 맞느냐는 의문을 품게 되었다. 나는 방황하기 시작했다.

1학년을 마친 2011년 10월 나는 부모님께 이런 이유로 휴학하고 한국으로 가고 싶다고 말씀을 드렸다. 부모님께서는 찬성하시면서 내가 오는 것을 환영하셨다. 내가 한국을 경험하고 서로를 알아가는 시간을 갖는 것이 중요한 경험이 될 것이라고 하셨다.

"우리나라에서 오래 안 살아 봤잖아, 여기도 경험해 봐. 그리고 우리도 서로 알아가 보자!"

나는 한국으로 도망쳤다. 그리고, 1년의 휴학계는 2년 반 정도 연장되었다.

그 사이 한국에서 많은 일들을 하였다. 한국 국제 입양인을 위한 통, 번역, 작은 회사의 경리 알바, 사무직 알바 그리고 계약직까지, 많은 경험을 해 보았다. 알바와 봉사를 하던 중, 내 나이 또래의 사람들을 만나게 되었다. 나는 내가 한국에서 자랐으면 어땠을까? 라는 상상을 자주 하곤 했다. 하지만, 그중 좋지 않은 한국인들도 만났었다. 한번은 거래처에서 오신 손님으로부터 불쾌한 말을 들었다.

"호주에서 와서 너 다리 잘 벌리지?"

고작 20살이었는데… 그 당시 뉴스에서 호주 유학생 원정 매춘들이 화두가 되던 시기였다. 그래서 그런지 머릿속에서 이미 단단하게 일반화를 시키고 있던 그 분의 사고방식을 깨트리기에는 너무 어렸던 것 같다. 그리고, 그때는 한국말의 뉘앙스를 잘 몰라 제대로 반응하지 못하기도 했다. 지금, 이 나이에 들었으면 내가 그런 사람들이 나를 쉽게 보지 못하도록 대꾸했을 것이다.

봉사활동에서 만난 다양한 한국 대학교 학생들이 있었다. 그들과 신촌에서 술을 마실 때 가끔 나에게 "너는 한국인 같지 않아, 그렇지만 교포도 아니니 너 뭐야?"라는 질문을 받은 적이 있다. 나의 정체성은 그때에서부터 조금씩 흔들리기 시작했던 것 같다. 내 나라, 내 사람들에게 그런 질문들을 들으니, 마음이 더욱 복잡해졌다.

이런 나의 정체성에 더욱 혼란을 준 것은 미국에서 만난 한국 국제 입양인이 물었던 질문이었다.

"Aren't you one of us? (너도 우리랑 같은 유형이 아니야?)"

아무 의미 없이 순수하게 궁금했을 것 같다. 한국인 같기도 하고, 외국인 같기도 한 나의 존재가. 나를 입양인으로 생각하나? 라고, 오해하려던 찰나 그녀는 덧붙였다.

"미국에서 자란 사람들만 아는 문화를 너는 다 알고 있어, 그렇지만 네가 수업을 진행할 때는 너는 무척 한국인 같아. 너도 '워너비 코리안'인 것 아니야?"

'워너비 코리안.' 그들과 겪어온 삶은 달랐지만, 다른 사람의 눈에는 나는 저렇게 보였구나… 라는 생각이 들었다. 호주에서도, 한국에서도 나는 이방인이었다. 사실은 이방인이 아니었을지도 모른다. 나만이 그렇게 느끼고 있었던 것인 수도 있다. 가겨지신인기도 포른다. 그렇지만, 그때쯤 나는 정체성에 대한 많은 고민과 스스로에 대한 의심을 하기 시작했던 것 같다.

나는 어느 나라 사람일까?

사람들이 말하는 성(性)적으로 쉬운 외국에서 지내는 한국인인 걸까?

유학 물 좀 먹은 외국인인 척하는 한국인일까?

아니면, 내 나라로 돌아가야 하는 이방인인 걸까?

그럼 도대체 나의 나라는 어디인 걸까?

복잡한 마음에서 비롯된 화를 내가 가장 편한 사람인 부모님에게 많이 쏟아냈던 것 같다. 노크도 없이 방문을 벌컥 여시는 아빠에게 억지로 호주 문화를 이해하라고 화내기도 하였다. 어릴 적 챙겨주지 못해 모든 음식을 먹이고 싶어 하시던 엄마가 음식을 권하면 "왜 이렇게 많이 먹어? 배불러, 싫어!"라고 짜증을 냈었다. 내가 시킨 음식에 젓가락을 댄 친구에게는 "이건 내 것, 그건 네 것"이라고 굳이 알려주려고 했다. 때로는, 젓가락질을 연습하며, 난 한국인이니 젓가락질을 잘한다. 엽기떡볶이의 최대로 매운맛을 먹으면서, 나는 한국인이라 매운 것을 잘 먹는다. 이러한 혼동을 일상으로 끌어왔고, 내면의 불안감을 키웠다. 나는 금방 지쳐버렸고, 불안감을 견디지 못해 떠나고 싶었다 최대한 멀리.

다시 한번 도망쳤다. 이번에는 한국이 아닌 호주로 도망쳤다.

2014년 6월 다시 호주로 돌아가 대학을 마치고, 그곳에 정착할 생각으로 호주로 돌아갔다. 처음에는 한국 대학생들과 어울리던 잊지 못해 한국인 동아리에도 들어갔었다. 대학에서 만난 한국인 중에는 유학을 온 사람들도 있었고, 부모님과 같이 이민을 온 사람도 많았다. 하지만, 나는 그런 사람들 사이에서도 다름을 느끼고 쉽게 불편해졌다. 결국, 난 호주 친구들 품으로 돌아갔다. 그렇게 지내기를 1년, 어느 날 아빠에게서 영상통화가 걸려 왔다. 아빠께서는 아무 말씀도 하지 않으셨지만, 표정에서 무슨 일이 생겼다는 것이 느껴졌다. 아빠 얼굴을 보게 된 나는 머릿속이 복잡해졌다, 하얘졌다. 아빠가 무슨 말씀을 하실까, 귀를 기울이는 것뿐이 내가 할 수 있는 전부였다. 아빠는

긴 침묵 끝에 어렵게 하고 싶었던 말을 한 자 한 자 꾹꾹 누르듯이 천천히 말하셨다.

"아부지가 미안하다. 더는 못 해 줄 것 같아."

아빠께서 최대한 모든 감정을 삼키며 아빠가 뱉은 말에 나의 머릿속은 더욱 복잡해졌다. 그렇지만, 이미 닥친 상황에 울먹이시는 아빠를 보면서 나까지 울 자신이 없었다. 아빠가 더욱 속상해하실까 봐. 이 모든 상황을 본인 탓이라고 생각하실까 봐. 괜찮다고 이때까지 수고 많으셨다. 고맙다, 말씀드렸다. 다시 한번 미안하다고 말씀하시는 아빠의 목소리 안에는 스스로에 대한 실망감, 이 상황에 대한 절망감이 느껴졌다. 나는 아빠에게 괜찮다고 반복하여 말 할 수 밖에 없었다.

그 다음 날부터 나는 고민하기 시작했다. 내가 어디로 갈 수 있을지. 내가 무엇을 할 수 있을지. 홈스테이 부모님께 이 상황을 설명했다. 이번 학기가 내가 호주에 있을 수 있는 마지막 시간이며, 다른 학생을 찾아야 한다고 말했다. 하지만, 내 말을 들은 로빈과 존은 망설임 없이 말씀하셨다.

"홈스테이 비용을 주지 않아도 된다. 그리고 네가 그때 호주인의 학비가 더 저렴하다고 했잖아. 우리가 너를 입양할 수 있는 방법이 있는지 찾아보자."

나는 한국으로 가 살 자신은 없지만, 한국인으로서의 국적을 잃고 싶지 않았던 것 같다. 그래서 감사하지만 입양은 거절했었다. 그리고, 그들은 그런 나에게 결국 홈스테이 비를 받지 않았다.

그 당시에 다른 나라에서 학생이었던 오빠가 얘기를 들었는지 전화가 걸려 왔다.

"휴학하자! 휴학하면 오빠가 어떻게 해서든 벌어서 너 대학교마저 시켜 줄께! 조금만 우리 같이 벌어보자."

부모님 또한 오빠와 같은 생각이었던 것 같다. 휴학을 하면, 우리의 상황이 좋아질 수도 있으니 조금만 기다려보자고 하셨다. 사실, 휴학은 나에게 고려 대상이 아니었다. 나는 휴학계를 내고 나면, 비자가 없어 한국으로 돌아가야만 했기 때문이었다. 나는 돌아가고 싶지 않아 휴학의 'ㅎ'조차 생각하지 않으려 했다.

다른 방법으로는 부모님께 한국 대학으로 편입하는 방법을 추천하셨다. 그 당시에는 나처럼 외국에서 자란 아이들이 갈 수 있는 전형이 꽤 있었다. 하지만, 부모님과 함께 간 게 아니라 혼자 간 경우라서 이민으로 분류가 되지 않았고, 내가 갈 수 있는 학교는 극소수였다. 학비도 어마무시하게 비쌌다. 한국에 편입한다면 한국에서 동아리, 팀 과제, 수업을 따라갈 수 있을까? 그리고, 난 친구를 만들 수 있을까? 온갖 두려움들이 나를 덮쳤다.

머리를 쥐어짜던 내 머릿속에 급 '대만'이 떠올랐다. 나의 중학교 친구 중 대만계 호주인 친구가 있다. 중학교 시절, 학교를 마치고 나면 함께 그 친구의 집에 가 간식을 먹고 다시 같이 집에 돌아오곤 했었다. 그 친구를 통해 나는 대만이라는 나라, 음식, 언어를 알게 되었다. 또한, 친구는 자기의 나라는 엄청 저렴하다고 항상 강조했었다. 며칠간 유튜브, 구글 등을 통해 알아본 결과, 이 순간 내가 저렴한 가격으로 도망갈 수 있는 곳은 대만이라는 생각이 들었다. 나는 중국어 실력이 전혀 없는 상태로 입학이 가능하고, 외국인 학생이 장학금을 받을 수 있는 대학교를 찾아 나섰다. 그리고 그 사이 부모님께 대만의 안전성과 내가 대만을 선택한 이유에 대해 PPT를 보여드렸다. 나는 그만큼 한국에서 멀어지는 게 간절했다.

부모님 또한, 같이 한국에서 내가 입학할 수 있는 학교를 찾아 나섰다. 부모님은 유학박람회를 통해서 대만 소재의 한국인 교수님이 계신 이름 없는 지방대를 찾아주셨다. 중국어를 하나도 몰라도 당시 편입할 수 있는 유일한 학교였다. 학교의 명성을 높이기 위해서 유학생들을 최대한 많이 유치하려고 노력하던 시기였다. 그래서 장학금도 주었고, 최대한 유학생들에게 맞춰주려고 노력했기에 내가 빨리 입학 할 수 있었던 것 같다.

내가 호주를 떠나는 날 홈스테이 부모님은 공항에서 마지막으로 나를 안아주셨다. 로빈은 글썽이는 눈으로 나에게 집 열쇠를 내 손에 꼭 쥐여주셨다. "이 열쇠 가지고 있어. 여기는 너의 집이야. 언제든지 힘들면 돌아와."

부모님은 모른다. 내가 어떤 이유에서 한국 대학교 편입과 휴학을 반대했는지. 그렇게 나는 대만으로 다시 한번 한국에서 멀리, 대만으로 도망을 쳤다.

한국인 교수님의 첫인상은 영락없는 사기꾼이셨다. 내 착각일 거라 생각했지만, 자기의 짐이 많다며 학생들의 돈을 걷어 자기 수화물 초과 요금을 내시는 그런 분이었다. 그러한 상황들을 보며, 나는 가서도 한국인들과 어울리지 말아야지 다짐을 했다.

같은 유학원에서 간 은암이라는 나보다 한 살 어린 여자애가 있었다. 긴 갈색 머리에 톡 치면 부러질 듯한 낯을 가리는 애였다. 숙소에 도착한 밤, 아무 것도 못 알아듣는 내가 도움을 많이 받았다. 다음날 학교로 갔을 때 유학원이 말했던 것과 달리 우리가 편입이 아니며, 기숙사도 학비도 장학금 따위는 없었단 걸 깨달았다. 한국인 교수는 나 몰라라 하시며 우리보고 기다리면 해결 해 준다고 하셨다. 그 분은 내가 졸업하는 그날까지도 어떤 도움도 주신 적 없이, 우리에게 왜 못 기다리냐고 화만 냈다. 다음 날 4명 중 2명은 아침에 자퇴 처리도 하지 않고 도망갔다.

학교 시설도 솔직히 정말 최악이었다. 낡은 공장 기숙사를 매입해 만든 학생 기숙사와 돈이 생길 때마다 조금씩 지어나간 캠퍼스가 다였다. 나와 은암은 어찌할지 몰라, 매일 숙소에 앉아 왜 여기로 왔는지, 앞으로 어떻게 할 것인지 얘기하며 울었었다. 다행히도 은암이는 그 사이 적응을 하였고, 나는 되지도 않는 중국어로 이곳저곳 따져 편입을 하게 되었다. 나는 1년 반 안에 졸업을 약속 받았었다. 정신적으로도 서로가 있었기에 힘든 부분을 같이 헤쳐 나갈 수 있었던 것 같다. 우리는 서로를 더욱 믿고 의지하게 되었다. 새로운 대만 친구가 생겨도 서로에게 먼저 소개해 주었다. 같이 만난 대만 친구들의 집에도 자주 놀러 가며, 대만 곳곳을 여행을 했다. 이따금, 기숙사 1층 편의점에서 만나 하루가 어땠는지, 신세 한탄도 하며 평범한 대학 생활을 했다.

　연희를 만난 건 그다음 해였다. 은암은 인턴쉽을 위해 타이베이로 가, 나는 학교의 새로운 한국인들을 전혀 알지 못 했다. 어느 날, 학식을 먹으러 간 식당에서 한 한국인이 나를 빤히 쳐다 보는 것이 느껴졌다. 나는 다가가서 물었다. "한국인이세요. 왜 쳐다봐요?" 연희는 뭐지 하는 느낌으로 나를 더욱 쳐다보았고, 옆에 있던 대만인이 나에게 죄송하다고 한국어로 사과했다. 그 이후 수업에서 연희를 자주 마주쳤고 조금씩 인사를 하기 시작했다. 연희가 타고 있던 오토바이가 미끄러지며 연희가 다친 날이었다. 학교 기숙사 이층 침대 사다리를 올라가지 못한 연희는 어쩌다 보니 내 자취방에서 지내게 됐다. 그리고 어느 순간 우리는 친해졌다. 우리는 같이 땡땡이를 치며, 많은 날들을 공유했다. 연희는 나에게 많은 '한국' 것들을 알려주었다. 유행어, 게임, 문화 등. 연희와 은암과같이 놀면 너무 좋을 것 같은 생각을 했다. 재외동포 선거투표를 하러 타이베이를 가던 날, 연희와 은암을 서로 소개해 주었다.

연희는 나에게 한국의 호칭을 알려주었다. 그때만 해도 나는 누군가가 나를 '언니'라고 칭하는 게 이상했다. 내가 다른 사람을 '언니'라고 칭하는 것 또한 마찬가지였다. 언니, 오빠, 형, 누나 같은 호칭들은 왠지 가족끼리만 해야 한다고 생각을 했기 때문이다. 연희가 "언니"라고 부를 때면 나는 "I am not your 언니, 언니, 아니예요."라고 한 단어씩 끊어가며 강조했다고 연희는 아직도 지난 얘기를 한다. 나쁘고 좋은 기분을 떠나서 신선했었던 기억이라고 말한다. 그리고, 그 얘기를 들을 때면 난 내가 문화를 받아들일 준비가 안 되었다기 보다, 받아들이고 싶지 않았던 것 같다는 생각이 든다.

은암과 연희는 나를 놀리더라도 한 번도 나를 이방인 취급 한 적이 없었다. 내가 나 이상해? 라고 할 시 자기들도 이상하다며 웃어줬다. 내가 실수로 한국 문화와 어긋나는 행동을 했거나, 내가 힘들 때 나를 두둔해 주고 밀어주는 고마운 사람이 되었다. 내가 대만에서의 2년이 그들 덕이라고 해도 과언이 아니다. 나는 더 이상 한국인이 불편하지 않았다. 몇 년 전만 해도 내가 상상조차 할 수 없었던 일이 현실이 되었다. 아마도, 나의 정체성 혼란은 자존감이 낮았던 것이 아닐지 하는 의심을 했다. "나는 한국인이 무섭다."라고 하기 보다, 한국인을 싫어할 이유를 만들어서 한국인을 그 틀에 넣었던 것 같다. 내가 만들었던, 만들지 않았던, 나 또한 편견이 있었던 것 같다. 그래도, 한국이 내가 정착하고 싶은 나라는 아니었다. 생각이 달라졌지만, 마음은 아직 변하지 않았다.

졸업 후, 다른 나라로 떠날 대기를 하던 중 6개월의 시간이 남아 나는 한국 회사에서 일을 시작했다. 자존감도 충분히 올라가고 한국인에 대한 두려움도 많이 없어졌기에 나는 뭐든 할 수 있을 것 같았다. 입사한 회사에는 단이와 산이가 있었다. 점심시간의 교류는 몇 번 있었지만, 우리가 친해진 날은 단이의 생일이었다. 갑작스럽게 "저녁 먹을래?"라고 단이가 물었고, 우리는 이태원에 갔다. 그날의 기억은 일도 없었지만, 즐거웠던 감정만은 강렬하게 남았다. 급격히 친해진 우리는 퇴근 후 자주 만났다. 우리의 만남에는 늘 술이 함께했다. 술의 힘을 빌려 마음속의 이야기들을 털어 놓을 수 있었다. 신기하게도 그들은 내가 한 말들에 색안경을 끼지 않고 토론에 가까운 얘기를 나눴다. 나를 보듬어 주어야 하는 부분에서는 그렇게 해 주었다. 내가 내 편견 속에서 살지 않도록, 현실 직시가 필요한 부분에서는 충고를 아끼지 않았다. 한국인에게 느끼는 두려움을 말했을 당시도 "아니야! 외국에도 나쁜 사람 있어! 너 그거 편견이야!"라고 말해주었다. 그럴 때면 나는 스스로를 뒤돌아보게 되었다.

물론 단이와 산이의 말대로 나쁜 외국인들도 있었다. 호주에서 거리를 거닐 때 자기 중요 부위를 손으로 잡으며 "이거 빨러 우리나라 왔냐?"라고 말하는 사람도 있었다. 그렇지만 나는 앞서 언급했던 한국인들을 더 나쁜 사람으로 상처로 마음속에 간직했었다. 그리고, 호주인은 그냥 에피소드의 하나로 머리에 간직했다. 산이의 말대로 나는 편견을 가지고 있었다. 나와 같은 민족인 한국인들은 나에게 그러지 않을 것이라는 편견이었다. 그리고, 호주에서는 내가 이방인이기에, 호주 사람들은 그래도 된다는 편견이었다.

  계약직으로 일하던 회사에서 6개월은 그렇게 지났다. 어느 날 나는 태국에 다양한 일자리가 있다는 얘기를 듣고, 태국으로 가 어학당을 다니며 살았다. 몇 달 후, 회사의 팀장님이 다시 일을 하지 않겠냐고 연락이 왔다. 거진 한량으로 살던 나는 단이, 산이와 다시 일할 수 있다는 생각으로 복직을 선택했다. 회사 내 자리는 많이 변경되었고 나는 단이 옆자리에 앉게 되었다. 우리는 자리에서 아침밥을 만들어 먹기도 했고, 자리에서 떠들기도 했다. 주변 분들은 그런 나를 다 받아주셨다. 예를 들면 회식 때 '본부장님'께 "우와! 우리나라에 '본'씨도 있어요?"라고 묻던 나를 보고 당황은 하셨지만, 웃어넘기시던 본부장님처럼 말이다. 내가 외국에서 자랐다는 걸 부루마블의 무인도 탈출 카드처럼 회사 내에서 사용했던 것이 아닌가? 라는 생각이 가끔 들었다. 그렇게 나는 조금씩 '한국에서 사는 것도 나쁘진 않겠다.'라는 생각을 하기 시작했다.

  하루는 팀장님께서 말레이시아 법인에 자리가 났는데, 가겠냐고 물었다. 업무는 조금 달라질 것이지만, 문화나 그런 쪽으로 내가 더욱 즐거움을 느낄 것 같다고 하셨다. 나는 한국과 조금 가까워졌다는 생각했으나, 팀장님의 말에 공감했다. 말레이시아가 나에게 더 맞는 문화와 언어가 있을 것 같았다. 그리고, 나는 바로 "오케이"를 했다. 그때까지도 여전히 한국은 온전한 나의 나라가 아니었다.

나는 다시 한번, 도망쳤다. 내가 편하게 즐거움을 느낄 수 있는 외국으로 도망갔다.

말레이시아에서 일을 시작하고 5개월이 지나 코로나가 전 세계를 덮쳤다. 한국과 달리 말레이시아는 모든 곳이 문을 닫았다. 2년간 재택과 회사에서 근무를 반복하던 시점에 나는 다른 회사에서 제의받았다. 정말 망설여졌다. 이 회사의 근무 환경은 최고였고, 흠을 굳이 잡자면 월급이 다른 회사에 비해 짜다는 점 정도였다. 나는 결국 새로운 회사로 이직했다. 대외적으로는 '월급' 때문이라고 했다. 하지만, 내 머릿속에는 이직한다면 차후 한국으로 돌아갈 수 있지 않을까? 한국에서도 인정받는 경력이 생기지 않을까? 라는 생각이 들었다.

이직한 회사에는 한국인이 많았다. 대부분은 말레이시아에서 자라신 분들이었다.

나는 이때까지 내가 외국에서 자라서 가지고 있는 사고방식이 다르다고 생각했다. 그분들은 한국인 사회가 잘 구성되어 있는 한인 마을, 국제학교를 다녔다. 그래서 그런지 그분들은 내가 아는 한국인들보다 더 한국인 같을 때가 많았다. 그 중 나보다 한 살 많은 주원이라는 분이 계셨다. 서로 본사로 이메일 보내기 전 한국어를 체크해줄 정도로 서로 사소한 것까지 도와주고 이끌어주었다.

사실, 내가 이직한 회사의 근무 환경은 그리 좋지 않았다. 야근이

허다했고, 연락을 24시간 받아야 했다. 특히 우리 부서가 유독 심했는데, 나는 극한의 스트레스로 점점 자존감이 떨어지고 있었다. 그게 보였는지 주원은 늘 내가 쉴 수 있도록 툭하면 담배도 피우지 않는 나에게 "바나나 우유 사주께! 가자 담타*!"라고 하며 불러 내어줬다. 그 시간만이 그 회사 생활에서 나의 유일한 낙이었던 것 같다.

매일 아침 7시에 출근해, 9시 전에 모든 아침 리포트를 정리해 제출했다. 수요일과 금요일은 새벽을 넘기기 부지기수였다. 그리고 토요일, 일요일은 말해 뭐하냐 필요시 노트북을 켜야 했다. 그리고 그 '필요시'라는 시간은 너무나 자주 있었다. 그럼에도 불구하고, 나의 팀장님, 부장님은 업무량이 부족하다고 말씀하셨다. 부장님께 이러한 상황에 말씀드렸을 때, "절이 싫으면, 중이 떠나는 거야."라고 말씀하셨다.

나의 스트레스는 극도에 달했고, 번 아웃과 함께 우울증이 오기 시작했다. 회사를 관둘 자신도, 한국으로 돌아갈 자신도 없었던 나에게 매일 밤 창문 밖을 바라보며 멍때리기가 다였다. 그 당시, 말레이시아 친구들도 내가 걱정되어서 우리 집에 와서 자기도 했다. 너무나 고마웠지만, 이상하게도 친구들 앞에서는 밝은 척 만을 했다.

매일 엄마에게 전화하던 내가 전화도 받지 않고 전화도 하지 않았다. 걱정되신 엄마는 그 길로 퇴사하시고 나에게 한걸음에 달려오셨

---

* 담배타임: 흡연 시간

다. 일요일 저녁 엄마와 실컷 놀고 엄마와 자려고 들어간 침대에서 잠이 도통 오지 않았다. 엄마가 주무시는 것을 확인하고, 침대에서 나와 밖을 바라보며 멍하니 앉아있었다. 멍하니 앉아있는 내 얼굴이 눈물범벅이었는지 엄마는 그새 일어나 조심스레 내 얼굴을 감싸며 닦아주셨다. 그런, 나를 엄마는 지긋이 바라보시다 살포시 감싸 안아주시며 나지막이 말씀하셨다.

"관두자, 엄마랑 집에 가자."

그날은, 엄마에게 아무 대답도 들려주지 않았다. '퇴사하고 뭐하지?'라는 생각만이 내 머릿속을 가득 채웠다. 엄마에게 설득되기를 반복하며 2주 후 나는 사표를 냈다. 그날 무지개가 떴다. 엄마가 옆에 계셔서 그런지 나는 평소보다 훨씬 안정감을 느꼈다. 내 뒤에 누군가가 있다는 생각에 믿음이 갔다. 내가 안정감을 찾고 난 후, 엄마를 설득해 먼저 한국에 가 계시라고 말씀드렸다. 엄마는 "집에서 기다릴게."라는 말씀과 함께 한국으로 돌아가셨다. 지금 그 때당시 감정을 물어보니 엄마는 마음이 놓인 적은 없었다고 하셨다. 더 있을 걸 후회가 되었다고 했다.

퇴사 직전, 돌연 팀장님이 퇴사했다. 부장님은 나를 따로 불러, 타이르려고 했다. "네가 가면 우리 팀 어떡하냐. 팀장도 나간 마당에. 너 팀장 시켜줄게!" 내가 죄송합니다. 라는 말만 반복하자 부장님은 화가 나셨는지 짜증이 섞인 목소리로 말씀하셨다. "너 이 회사 나가면, 한국에서 취직 못 해. 여기서도 못 버티는데 한국 갈 수 있을 것 같아? 어? 일주일 줄께! 생각해 봐!"

　그 주 주말, 단이가 남편인 강호와 말레이시아로 왔다. 나는 최대한 밝은 척을 유지했다. 아무도 모를 것으로 생각했다. 내가 이상하다는 것을 단이는 바로 알았다. 힘들어? 무슨 일 있어? 나는 그 당시 많은 것을 숨기고 싶어, 대답하지 않았다. 단이는 "말하기 힘들면 안 해도 돼."라며 나를 안심시켜 주었고, 내가 퇴사 얘기를 했을 때도 "잘했어"가 다였다. 그 단순한 말들에 나는 따스함을 느꼈다. 나는 단이 덕에 마음을 굳게 먹고 퇴사를 했다.

　퇴직 후, 돌아온 한국에서 나는 다시 다른 나라를 갈지 한국에 남아 있을지 고민하기 시작했다. 단이와 산이를 만나 내 고민을 털어놓으니. 산이가 말했다. "한국 안 살아봤잖아, 뭐가 걱정이야? 나 네가 그런 말 할 때 제일 어이없어." 나는 그제야 "왜인지 알잖아."는 말과 함께 이것저것 덧붙여 말했다. "일단 와보고 말해! 여기도 좋은데 많아!"라고 산이는 자신있게 내뱉었다. "나 한국에 친구 없는데, 둘은 바쁘잖아."라고 하니 자기들이 놀아주겠다고, 자기들이 있으니, 걱정말고 오라고 했다.

　나에게 필요했던 말들이었던 것 같다. 끊임없이 나를 위해 주는 가족, 나를 지켜주는 친구들. 내가 필요했던 게 그게 아니었을까?

　단이와 산이는 내가 조금이라도 움츠러들려고 할 때면, 세뱃돈처럼 빳빳하게 나의 자존감을 펴주었다. 단이는 나에게 새로운 친구도 만들어줬다. 단이의 남편 강호는 내가 미숙한 부분들을 도와주며, 한국에 적응할 수 있도록 했다. 내가 은행 업무를 위해 은행을 가려고 하면, "답답한 소리 하네."라고 하지만, 모바일로 모든 처리를 해주거나. 먹고 싶은 음식이 있지만, 같이 먹을 친구가 없을 때 기꺼이 같이 먹어주는 친구가 되었다.

그렇게 나는 나이 서른에 한국행을 결정했다. 도망이 아닌, 정착의 이유로 한국으로 왔다.

한국에 돌아와 우연한 기회로 CCK*관련 그룹 미술 심리치료에 참여 했다. 우리에게 CCK가 무엇인지로 시작했었다. "CCK는 발달 시기에 부모의 문화 외의 다른 문화에서 대부분의 시간을 보낸 사람을 뜻합니다. CCK는 자주 모든 문화와 관계를 맺은 것처럼 보이나, 완전한 소유권은 없습니다. 비록 각 문화의 요소들이 CCK의 삶의 경험에 일부가 될 수 있으나, 소속감은 비슷한 배경을 가진 다른 사람들과 느낄 수 있습니다.**" 이 말대로 나는 모든 문화를 가지고 있는 것처럼 보이나, 아무 문화도 가지지 않았을 수도 있다.

---

* Cross Cultured Kids: 교차문화아이들, 모국이 아닌 해외에서 성장한 경험이 있는 아이들

** "Third Culuture Kids: Growing Up Among Worlds" (Pollock & Van Reken, 2009)

처음으로 내가 느꼈던 감정을 이해하고 공감해 주는 분들을 만났다. 많은 동질감을 느끼며, 우리가 느끼고, 가지고 있는 것들이 아주 다르지 않다는 것을 알게 되었다. 14주의 만남이 짧게 느껴졌다. 이곳에서는 나는 나를 돌아볼 기회가 생겼다. 내가 해외에서 성장함으로써 장점이 많다는 걸 느꼈다. 나의 상처를 들춰볼 기회가 생겼었다. 생각보다 아무것도 아니었다. 그리고, 내가 나일 수 있도록 해주었다. 내가 이때까지 나의 자격지심으로 치부했던 것들이 이상한 것이 아니었다. 그렇다고, 내가 100% 괜찮아진 것은 아니다. 나의 정체성의 이해도가 올라갔고, 내가 원하는 것이 뭔지를 알게 되었다.

내가 한국행을 결정할 시기에 말레이시아에서 만난 한국인들이 가끔 이런 말을 했다. "헬조선이야, 돌아가고 싶어?" 또는 한국에서 문제되는 성차별, 정치문제, 집값 등을 들먹였다. 그게 자기들이 한국을 떠난 이유라고, 나라고 뭐가 다르겠냐고. 나도 모른다. 아직도 모르겠다. 그렇지만, 확실한 것은 한국에는 내가 온기를 느낄 수 있는 사람들이 있다. 앞에 나왔던 내용들에 비해 독자들이 원하는 그런 사이다 같은 결말은 아닐 수도 있다. 나는 내가 느꼈던 따뜻함을 느끼고 싶다. 내가 완전히 무너졌을 때 일으켜주는 그런 사람 옆에 있고 싶다.

나는 아직도 한국에 대한 편견을 가지고 있다. 나는 여전히 내가 자라온 환경이 다르다는 말을 방패로 쓰거나, 때로는 창으로 쓰고 있다. 나에게는 아직도 남 탓을 하며, 다른 한국인에게는 다가가지 않으려고 하는 경향도 남아있다. 한국으로 돌아온 후 "너는 한국어를 못해!"
라는 말을 들었을 때도 무너졌다. 어찌할 바를 몰랐다. 그리고, 또다
시 '도망'을 고민했었다. 그렇지만, 지금 나는 한국에 정착하기 위해
돌아왔다. 더 이상의 도망은 없을 것이다. 다른 방식으로 그런 문제들
을 해결해 나갈 것이다. 한국어를 못한다고 하면, 배우면 되는 것이
다. 상처를 받지 않을 수는 없지만, 내 마음속 오래 남겨두지는 않을
것이다.

힘들 때 달려와 주신 부모님이 있었기에 내가 쉴 수 있는 곳이 한국
이 되었다.

한국에는 내가 기댈 수 있는 언덕인 부모님이 있다.
우리 집이 힘들어졌을 당시 본인도 학생이기에 힘들었지만, 손을
내밀어 준 오빠가 있다.
"내 동생"이라며 나만을 위해주는 새 언니가 있다.
그리고, 내가 한국을 달리 생각하게 되는 계기가 된 다섯 명의 한국
인 친구가 있다.

나는 온기를 느끼고 싶어서 한국에 왔다.

늑대별

해운

해운   시간이 지나면서 만남보다는 이별이 잦아지는 나이가 되어가고 있습니다. 다른 경험들처럼 겪을수록 능숙해지면 좋을 텐데. 마음을 주었던 사람을 떠나보내고 잃어버리는 일은 여전히 어색하고 힘겹습니다. 하지만 앞으로 나에게 다가올 시간과 아직 내 주변에 남아있는 마음들을 챙기는 것도 못지않게 중요하다는 것 또한 알아가고 있습니다. 여전히 어린 시절과 다를 바 없이 매번 아프고 힘들지만, 지나가는 아픔에 슬퍼하다 너무 많은 것을 놓치고 후회하지 않기를 바라고 있습니다.

깊은 어둠이 내려앉은 들판 곳곳에 시끄러운 망치질 소리가 메아리 쳤다. 하얀 눈밭 한가운데 덩그러니 세워진 낡은 주택에서 나는 소리였다. 짙은 갈색빛 벽돌에 회색 지붕을 덮은 이층 주택이 눈밭에 반사된 달빛 덕에 그 형체를 어렴풋하게나마 드러내고 있었다. 드르륵. 드르드득. 뚱땅거리던 망치질 소리가 끝나고 잠깐의 정적이 흐른 뒤, 이번에는 전동 드릴 소리가 울려 퍼졌다. 멈출 기미가 보이지 않는 시끄러운 공구 소리 사이로 작은 그림자 하나가 주택 뒷문을 나와 헛간으로 뛰어 들어갔다.

"도무지 잠을 잘 수가 없어. 아빠는 이 밤에 뭘 또 만드는 거야."

재민은 연신 입김을 내뿜으며 투덜거렸다. 익숙한 손짓으로 어둠 속에 숨겨진 스위치를 누르자 헛간의 불이 켜지더니 온풍기가 돌아가기 시작했다. 오 분 정도 지났을까. 금세 뜨거워진 공기에 멈출 줄 모르던 입김이 모습을 쏙 하고 감췄다. 휴, 이제 좀 낫다. 이불 속만큼 따뜻한 건 아니었지만 방보다는 조용하고 아늑한 이곳은 재민의 아지트였다. 헛간 내부는 아버지가 만든 물건들로 가득했는데 틈틈이 정체를 알 수 없는 고철 덩어리들도 함께 껴 있었다. 재민은 빼곡히 채워진 기계들 사이를 엉금엉금 지나 헛간 가장 안쪽으로 들어갔다. 이 정도로 깊게 들어오고 나면 아버지의 망치질 소리가 더는 들리지 않았다. 갑작스러운 고요함에 멍해진 귀를 툭툭 두드리며 재민은 커다란 상자 앞으로 다가갔다. 사슴 자수가 수놓아진 담요를 치우자, 내부가 훤히 보이는 투명 옷장이 나타났다. 재민은 아버지가 만든 이 옷장을 '오르골'이라고 불렀다. 아마 모르는 사람이 보았다면 이게 무슨 이상한 가구인가 싶었을 것이 분명했다. 문에 달린 은색 태엽을 돌리자, 바닥에서 방울이 터지는 듯한 음악 소리가 흘러나오기 시작했다. 곧이어 옷장 안에 달린 전구가 돌아가더니 하늘색 드레스에 리본을 맨 여자와 단정한 정장을 입은 남자가 등장해 춤을 추기 시작했다. 재민은 담요를 덮고 고철들에 기대앉아 행복한 그들을 바라보았다. 그렇게 태엽이 여덟 바퀴쯤 돌아갔을 때, 노래가 멈춘 헛간에는 입꼬리가 올라간 채 새근새근 잠든 재민의 숨소리만 조용하게 남아있었다. 작동을 멈춘 오르골 위에 달린 자그마한 명패가 별빛에 반짝였다.

'다희를 기억하며'.

***

"숙제는 다음 주 월요일까지 우리 반 홈페이지에 올리도록 하고, 내일 수업 때 보자, 얘들아."

모니터 건너편에서 들려오는 선생님의 종례 소리와 함께 재민은 두 팔을 천장으로 뻗으며 개운한 신음을 냈다. 재민이 살고 있는 시골 동네에는 마땅히 다닐만한 학교가 없었다. 어린아이가 많지 않은 인근 마을들의 상황도 다르지 않았다. 가장 가까운 학교는 산길을 넘어 차로 한 시간을 가야 했는데, 다행히 요즘에는 인터넷으로 등교할 수 있어 재민도 온라인으로 수업을 듣고 있었다. 그러다 보니 실제로 학교를 가 본 것은 입학식 날 부모님의 손을 잡고 갔던 날이 전부였다.

하하하. 쿵쾅쿵쾅. 컴퓨터 위에 놓인 스피커에서 책상을 부딪치는 소리와 함께 아이들의 웃음소리가 들려왔다. 아마도 학교로 직접 수업을 들으러 오는 아이들의 목소리인 것 같았다. 재민의 반에는 삼십 명 남짓한 아이들이 있었는데, 학교를 직접 오는 학생들은 열 명 뿐으로 오히려 더 적은 편이었다. 대부분의 아이들은 재민이처럼 거리가 멀어 온라인으로 수업을 들을 수밖에 없었다. 재민은 초등학교에 입학한 후로 사 년 동안 같은 곳에서 수업을 듣고 있지만 실제로 같은 반 친구들을 만난 적은 없었다. 점심시간에 친구들과 떠든다든지. 학교를 마치고 함께 떡볶이를 먹으러 간다든지. 재민에게는 생소한 순간들이었다.

"영어도 다했고, 수학도 여기까지 하면 됐고⋯⋯"

공구 소리가 들리지 않는 틈을 타 숙제를 모두 끝내고 나니 창문으로 새어 들어오던 햇빛이 어느새 사라졌었다. 재민은 창문을 열고 불빛 한 점 없는 풍경을 익숙하게 맞이했다. 오늘따라 유독 어두운 밤하늘 때문인지 별들이 더 밝게 빛나 보이는 듯했다. 서서히 들려오는 드릴 소리에 재민은 귀를 막았다. 가만히 밤하늘과 눈을 마주치고 있으니 바람을 따라 별들이 조금씩 흘러가는 것이 보이기도 했다. 그때 굴뚝 위를 지나가던 별빛 하나가 반짝하고 깜빡이더니 하늘에서 떨어지기 시작했다.

"우와! 소원 빌어야지! 어떡하지, 어떤 소원을 빌어야 하지"

재민은 재빨리 눈을 감고 발을 동동 굴렀다. 걱정하는 것과 다르게 빌어야 할 소원이 한 가지가 아니었는지 재민은 생각보다 오랜 시간 조그마한 입술을 움직여대며 중얼거렸다. 그 사이에 별이 사라졌으면 어떡하지. 황급히 다시 별을 찾는 재민의 눈에 들어온 것은 그새 더 커진 별빛이었다. 아니, 커진 것이 아니라 별빛이 재민을 향해 날아오고 있었다. 별빛은 점점 가까워지더니 이내 헛간 지붕 위로 떨어졌다. 쿠당탕탕. 망치 소리에 묻혔지만, 분명히 무엇인가 헛간에 떨어진 소리가 들려왔다. 재민은 순간 어안이 벙벙해졌는지 커진 눈으로 바닥을 내려다보더니, 벽에 걸려 있던 우주 로봇 광선검을 들고 헛간으로 뛰어갔다.

헛간 문을 열고 광선검의 불빛으로 이리저리 비추어보았지만, 마땅히 보이는 것은 없었다. 잘못 들었나. 다시 방으로 돌아갈까. 쿠당탕. 재민이 주춤하는 사이 고철 덩어리 뒤에서 무언가 움직이는 소리가 들려왔다. 재민은 재빠르게 벽면에 달린 스위치를 눌렀다. 전등들이 연달아 켜지더니 온풍기에서 바람이 불어 나오기 시작했다. 그때 놀란 듯한 울음소리가 들려왔다.

"으아아악, 날아간다구. 이것 좀 어떻게 해봐."

거세게 불어오는 온풍기 바람에 실려 소리를 내는 형체가 두둥실 떠올랐다. 그것은 마치 강아지 같았다. 아니, 강아지보다는 좀 더 나이 든 늑대에 가까웠다. 하지만 늑대라기에는 지나치게 반짝이는 그 것은 당황한 재민이 입을 떼기도 전에 울먹거리는 목소리로 먼저 말 을 걸었다.

"어, 저기, 안녕? 나는 시리우스라고 해. 저것 좀 멈춰줄래? 나 날 아갈 거 같단 말이야."

***

온풍기가 멈춘 헛간 안에는 차가운 공기와 함께 어색함만이 감돌았 다. 에취. 은은하게 빛이 나는 늑대 한 마리와 후드를 뒤집어쓴 소년 이 마주 보고 앉아 있는 민둥한 대치 상황은 소년의 기침 소리와 함께 종결되었다.

"그러니까 이름이 시리우스라고?"

"응, 시리우스. 너희 동네에서는 그래도 꽤 유명한 이름이라고 하 던데? 저기 가장 밝은 별 말이야."

왠지 뿌듯하다는 듯이 가슴을 내민 하얀 늑대는 저기 구름 위에 있 는 '겨울마을'에서 왔다고 했다.

"정확히 말하면 그보다 위에 있지만 말이야. 구름보다 훨씬 높이 있지. 여기서는 안 보이려나."

빛나는 코와 발을 손처럼 이리저리 휘적이며 설명하는 통에 재민의 눈도 자연스럽게 시리우스의 몸짓을 따라 움직였다. 시리우스가 말 을 이어갈수록 광선검을 쥐고 있던 재민의 손이 점점 느슨해졌다.

"겨울 별자리에서 내려온 빛들이 오랜 시간 쌓이면 우리 마을에 별

자리들이 태어나. 매년 이맘때쯤 우리 마을은 이곳을 지나가는데, 갑자기 우리 집 바닥에 구멍이 난 거야!"

"구멍? 바닥에 구멍이 갑자기 왜 생기는데?"

"너희 아랫동네에서 올라오는 것들 때문에 남쪽 끝에서 종종 있는 일이라고는 하던데, 나한테 일어날 줄이야. 그래도 다행이야! 헛간 위에 떨어져서! 다른 곳이었으면 겨울바람에 날아갔을지도 몰라."

어느새 본인의 수다에 집중하고 있는 재민의 눈빛을 눈치챈 시리우스는 뾰족한 이빨이 보이지 않게 웃으며 정중하게 질문을 건넸다.

"그래서 멋진 망토를 걸친 너는 이름이 뭐야?"

"나? 난 재민이라고 해. 시리우스 같은 멋진 이름은 아니야."

"제미니? 우리 동네에도 같은 이름이 있는데! 걔네는 두 명인데, 너는 한 명이네!"

이해할 수 없는 농담을 뱉으며 할아버지처럼 웃어대는 시리우스의 모습에 재민도 따라 웃기 시작했다. 온풍기 돌아가는 소리도, 오르골 소리도 없었지만, 어제와 같은 적막은 흐르지 않았다. 헛간에서는 일년 만에 웃음소리가 흘러나왔다.

***

띵동. 띵동. 주말에도 어김없이 찾아오는 도시락 배달은 재민의 늦잠을 허락하지 않았다. 재민은 아직 꿈에서 깨어나지 못한 것처럼 양팔을 흐느적대며 계단을 내려갔다. 문을 열자, 바닥에는 테이프가 덕지덕지 붙여진 스티로폼 상자와 노란 쪽지가 놓여 있었다. '도시락 여섯 개 배달, 즉시 섭취하지 않으면 냉장 보관'. 상자를 들어 탁자 위로 옮기고 테이프 끝을 잡아당기자, 스티로폼 부스러기가 허공에 흩날렸다. 재민은 반쯤 감긴 눈으로 주방에 내리는 인공 눈을 바라보며 허탈한 미소로 한숨을 내쉬었다. 곧이어 계란후라이와 브로콜리가 들어있는 도시락 하나를 꺼내 전자레인지에 집어넣고 바닥에 떨어진 부스러기들을 줍기 위해 몸을 숙였다.

띵동. 쿵. 갑자기 다시 들려온 초인종 소리에 놀란 재민은 탁자에 머리를 부딪히며 뒤로 넘어졌다. 재민은 놀란 가슴을 추스르고 침착하게 자리에서 일어났다. 배달부 아저씨가 다시 오셨나. 조심스럽게 열린 문틈으로 차가운 아침 공기와 함께 하얀 발바닥이 쏙 하고 들어와 인사를 건넸다.

"안녕, 재민아! 잘 잤어?"

띵동. 전자레인지 알림과 함께 재민의 잠이 순식간에 달아났다. 재민은 누가 볼세라 큼지막한 발바닥을 잡아끌어 당기고는 현관문을 쾅 닫았다. 복슬복슬한 엉덩이를 이층 방에 다급하게 밀어 넣고 태연하게 고개를 갸웃거리는 붉은 혓바닥을 향해 소리쳤다.

"시리우스! 벨을 누르면 어떡해. 헛간에서 기다리라고 했잖아."

"하지만 너희 집 헛간은 너무 쓸쓸한걸. 거긴 눈이라도 쌓인 것처럼 너무 시리단 말이야. 아까 보니 웬 하얀 상자는 잘만 열어주더구먼."

천연덕스럽게 말하는 시리우스의 모습에 재민은 고개를 저으며 놀랐던 숨을 골랐다. 하지만 시리우스는 당황하는 재민은 아랑곳하지 않다는 듯이 어느 틈에 방 안을 구경하고 있었다. 탁상시계나 캠코더부터 컴퓨터까지 방 안에 있는 물건들을 신기해하는 시리우스의 눈은 그의 은빛 털보다 밝게 빛나고 있었다. 갖가지 물건들의 생김새에 감탄하면서 사용법들을 물어보던 시리우스는 책장 위에 놓인 액자 앞에 멈춰 섰다. 액자 속 사진에는 멜빵 바지를 입은 재민의 뒤로 정장을 입은 안경 쓴 남자와 하늘색 드레스를 입은 여자가 서 있었다.

"이분이 아버지야? 어젯밤 밤새 망치를 두드리시던?"

시리우스가 책장 선반을 발톱으로 툭툭 치며 망치 소리를 따라 하며 묻자, 재민은 고개를 끄덕였다.

"그럼, 이분이 어머니시구나. 재민이 네가 어머니를 똑 닮았네. 너무 예쁘시다. 안드로메다처럼 아름다우신걸!"

연이은 시리우스의 칭찬에 재민은 고개를 숙이고 웃음을 머금었지만, 처진 눈은 그리움이 차오른 듯 촉촉해졌다. 생각이 많아 보이는 재민의 표정에 시리우스는 황급히 다음 질문을 뱉어냈다.

"계단 올라올 때 밑에서 맛있는 냄새가 나던데? 밥 먹고 있던 거야?"

"먹으려고 했지. 못 먹었지만. 괜찮아. 너 때문에 놀라서 배고픈 것도 다 까먹었어."

재민은 삐쭉 나온 입술로 시리우스를 가리키며 어깨를 으쓱거렸다. 꼬르륵. 재민의 배는 생각이 달랐는지 시끄러운 소리를 멈추지 않았다. 눈치 없는 배를 꾹 누르며 얼굴이 점점 빨개지는 재민을 보고 시리우스는 킥킥대며 방문을 열었다.

“가서 먹고 와. 아버지랑 같이 먹을 거 아냐. 기다리시겠다.”

“아빠랑 같이 안 먹어. 아빠는 맨날 공방에 가져가서 혼자 드셔. 안 드실 때도 많고.”

재민의 대답을 들은 시리우스는 겸연쩍은지 어색한 웃음을 지었다.

“여기로 가져올래? 나랑 같이 먹자. 먹진 못하지만, 같이 있어 줄게.”

“음, 그럼, 금방 가져올게. 어디 가지 말고 여기 있어야 해. 알았지?”

시리우스가 고개를 끄덕이자, 재민은 복도를 살피더니 일 층으로 쏜살같이 달려 내려갔다. 딸칵. 쨍. 유리가 부딪치는 소리가 두세 번 나더니 재민이 숨을 헐떡이며 방으로 돌아왔다. 재민의 손에는 그릇으로 옮겨 담은 도시락이 들려 있었다. 계란후라이 겉면에는 윤기가 흘렀지만 뜨거운 김은 나지 않는 걸 보니 그새 전자레인지 안에서 조금 식은 듯했다. 재민이 방바닥에 앉아 밥그릇을 한 손에 들고 식사를 시작하자 시리우스도 그 앞에 자리하고 앉았다.

“아버지는 오늘도 공방에 계시는 거야?”

“망치 소리가 안 들리는 거 보니 주무시고 계실 거야. 어제 우리가 떠들던 밤새 뚱땅거리는 소리가 들렸으니까 아마 아침이 다 되어서야 침실로 들어가신 거 같아.”

“그러고 보니 아버지는 매일 그렇게 뭘 만드시는 거야?”

시리우스의 질문에 잠깐 흠칫한 재민은 가족사진을 한 번 바라보더니 가냘프게 소리를 뱉어냈다.

"오르골, 오르골을 만들고 계셔."

***

재민의 어머니는 단편 영화 감독이었다. 초 단위의 짧은 영상들이
사랑받는 시대에 단편 영화 감독은 보기 드문 직업이었다. 주로 잔잔
한 분위기의 영화들을 기획하고 촬영했는데, 자극적인 영상들에 지
쳐있던 요즘 사람들의 갈증을 해소하게 해준다는 것이 그녀의 작품
에 대한 주된 평이었다. 다희. 그녀는 이름 그대로 햇살 같은 사람이
었다.

도시와는 동떨어져 밤이 빨리 찾아오는 어느 눈 덮인 마을. 겨울의
따스함을 담기 위해 홀로 떠난 타국 여행. 유리 전등 불빛과 오르골
음악 소리가 어둠 속을 흐르는 그곳에서 그녀는 공예가였던 재민의
아버지를 만났다. 함께 한국으로 돌아와 사랑을 하고 결혼을 하고 재
민을 가지고. 그녀의 인생이 지금껏 가져본 적 없던 행복으로 채워지
면서 그녀의 영화는 가족에 대한 이야기가 대부분을 차지하기 시작
했다. 푸르게 찬란했던 시절. 그녀는 그날들을 담은 영상을 그렇게 불
렀다.

"이 순간들을 담아두고 나중에 열어보자. 바래진 어느 날에 푸르던
오늘을 기억할 수 있게."

그녀가 세상을 떠나고 짐을 정리하기 위해 방에 들어갔던 날, 재민
의 아버지는 어떤 물건도 만지지 못했다. 한참을 방문 앞에 서 있던
그는 얇은 천을 가져와 가구들 위에 덮었다. 그러고는 방구석에 놓인

소파에 앉아 그녀가 남긴 영상들을 하나씩 보기 시작했다. 그는 무색한 눈빛으로 흘러가는 화면들을 바라보았다. 고요한 방 안에는 노이즈 섞인 웃음소리가 울려 퍼졌다. 다음 날에는 숨이 멎을 듯한 울음소리가 섞여 나왔다. 목소리가 갈라지고 손끝은 저린 듯이 떨려 보였지만 눈물은 마르지 않고 흘러내렸다. 울음소리가 멈추면 다시 행복한 그녀의 웃음소리가 방 안을 채웠다. 피처럼 붉게 부은 그의 눈동자는 화면 속 춤추는 그녀의 미소를 쫓아 바삐 움직였다. 그렇게 그는 창백하게 옅어지는 세상을 애써 붙잡고는 기억의 물감들을 가져와 그때처럼 칠하려고 발버둥 쳤다. 하지만 영상들을 볼수록 그의 표정은 공허함에 사무치듯이 붉게 어두워져만 갔다. 굳어버린 손가락의 떨림도, 지친 듯이 새어 나오는 얕은 숨소리도 영화에서 흘러나오는 음악에 묻혀 점점 희미해져 갔다.

　재민의 어머니가 죽은 지 이 주가 지나던 날, 그는 비디오들을 주워 들고 공방으로 들어가 망치를 두들기기 시작했다. 공구 소리가 멈추고 메아리치던 소음들이 사라질 때면 공방 문이 열리면서 장치들이 하나씩 헛간으로 옮겨졌다. 어떤 날은 옷장. 다른 날은 라디오. 또 어떤 날은 자동차. 모양은 제각각이었지만 하나같이 유리처럼 투명하고 태엽이 달려 있었다. 끼익끼익. 딸그락. 따닥. 태엽을 몇 바퀴 돌리고 손을 떼자, 그녀의 영화 속에서 흘러가던 장면들이 유리 장치 속에 나타났다. 처음 함께 산 드레스를 입고 들판에서 춤췄던 그날. 비를 피해 함께 이불에 누워 라디오를 듣던 오후. 자동차 안에서 입을 맞추었던 어느 가을밤. 티비에 갇혀 있던 순간들은 그가 만든 장치 안에서 생동감 있게 살아 움직였다. 흘러나오는 음악 소리에 맞추어 그의 눈시울이 다시 붉어지기 시작했다. 차오른 눈물을 숨과 함께 삼키고 유리 장치에 기댄 그는 처연하게 웃고 있었다.

태엽이 멈추고 불이 꺼지면 그는 다시 공방으로 돌아갔다. 그러고 나면 그를 조용히 지켜보던 작은 그림자가 이층에서 내려와 후다닥 헛간으로 들어갔다. 끼익끼익. 딸그락. 가지런한 금속음 뒤에 따라오는 맑은 음악 사이사이에는 미처 삼키지 못한 아이의 울음소리가 함께 섞여 나왔다.

***

청춘. 재민의 침대를 차지하고 엎드려 누운 시리우스는 사랑스러운 글씨체로 쓰인 비디오의 제목을 뚫어지게 바라보았다. 책상 위에서 캠코더를 만지작거리던 재민도 숨죽이고 있는 시리우스의 모습에 하던 일을 멈추고 곁으로 다가와 함께 누웠다.

"엄마가 수술 들어가기 전날, 나한테 선물해 준 비디오야. 엄마의 봄을 담은 보물이랬어."

"어머니의 봄? 봄에 찍으셨다는 건가? 어떤 내용인지 예측이 안 되는데! 무슨 내용이야?"

"나도 어떤 내용인지는 몰라. 틀어보지 못했거든."

의아한 듯이 쳐다보는 시리우스의 표정에 재민은 비디오를 들어 필름이 감긴 부분을 툭툭 쳤다.

"엄마가 아프시고 나서부터 엄마 방은 쭉 잠겨있었거든. 병원에 입

원하시고 나서는 더더욱 열릴 일이 없었기도 하고. 비디오 플레이어
는 거기밖에 없어."

"그럼 한번 들어가 보자! 어머니 방은 어디야?"

"일 층 주방 옆이긴 한데, 잠겨있을 텐데?"

재민의 말이 끝나기가 무섭게 시리우스는 헥헥거리며 일 층으로 달
려 내려갔다. 놀란 재민은 곧장 그 뒤를 뒤따랐지만 아무래도 네 발로
달리는 시리우스를 따라잡는 것은 불가능했다. 미끄러운 계단을 조
심히 내려와 주방을 지나가자, 장미 문양이 새겨진 고동색 문 앞에 앉
아있는 시리우스가 보였다.

"잘 봐. 신기한 걸 보여줄게. 이건 아주 섬세한 기술이라고."

재민이 도착한 걸 확인한 시리우스는 오른발을 들어 검지를 치켜세
웠다. 날카로운 검지 발톱에 시리우스가 하얀 입김을 불자, 두툼했던
발톱이 은하수처럼 반짝이며 길고 날카로워졌다. 시리우스는 왼발로
문을 잡고 사냥감을 조준하는 것처럼 뱁새눈으로 문고리를 노려보더
니 발톱을 갈고리처럼 열쇠 구멍에 집어넣었다. 찰칵. 오랫동안 기름
칠 되지 않은 경첩 소리와 함께 열리는 문틈 사이로 먼지 섞인 바람이
불어왔다.

"들어가자. 보물 봐야지."

가구들을 덮어놓은 회색 천에 쌓인 흰 먼지들이 누구의 손길도 닿
지 않았음을 말해주는 듯했다. 문 앞에 멈춰 선 재민은 이곳에 있었을
누군가가 떠올랐는지 발걸음을 떼지 못했다. 그새 커다란 덩치로 가
구들 사이를 돌아다닌 덕에 먼지투성이가 된 시리우스가 재민의 후

드를 물어 안으로 끌어당겼다. 번쩍. 순간 시리우스의 은빛 털에 옅은 푸른빛이 맴돌다 사라졌다.

"비디오 플레이어라는 거, 어떻게 생겼어? 비디오가 들어가려면 네 모난 구멍이 있으려나?"

시리우스는 보지 못한 것 같았다. 눈을 비비던 재민은 갸우뚱거리며 방 안으로 들어섰다.

"안 찾아도 돼. 여기 있어."

재민은 조금도 고민하지 않고 방구석에 있는 커다란 천 앞으로 성큼성큼 걸어갔다. 양손으로 천을 잡아 걷어내자, 테두리가 없는 티비와 함께 비디오 플레이어가 모습을 드러냈다. 재민이 티비 뒤로 들어가 엉킨 선들을 풀어 전원을 연결하자 신호가 들어왔다. 먼지 가득한 숨을 내쉬는 것도 잠시 시리우스가 티브이 앞 양탄자에 앉아 빨리 오라는 듯 발바닥을 쳐댔다. 아휴. 재민은 비디오를 플레이어에 집어넣고 시리우스 옆에 조심스럽게 앉았다.

첫 장면은 아기 울음소리였다. 다음은 갈색 양탄자 위를 기어다니는 조금 더 자란 아기의 모습이었다. 재민은 순간 깔고 앉은 양탄자의 무늬를 바라보았다. 영상이 흘러갈수록 생소했던 아기의 모습은 익숙한 얼굴로 변해갔다. 재민이였다. 처음 엄마와 아빠를 부르는 모습. 반찬 투정하는 모습. 그리고 처음이자 마지막으로 엄마와 함께 갔던 초등학교 입학식까지. 영화 '청춘'은 재민의 어린 날들로 가득 채워져 있었다.

"어머니의 청춘은 재민이 너였구나."

시리우스는 머리를 숙여 재민에게 가져다 댔다. 시리우스의 코에 눌려 내려온 후드가 재민의 얼굴을 가렸지만, 재민은 미동도 하지 않은 채 입술을 꾹 깨물고 있었다. 그때 시리우스의 몸이 거품 섞인 파도처럼 푸르게 빛나기 시작했다.

"시리우스, 네 몸이 빛나고 있어."

놀란 재민이 고개를 들자, 눈동자에 고여있던 눈물들이 볼을 타고 흘렀다.

"내 몸에서 이런 빛이 나는 건 오랜만인걸. 이제는 사그라질 줄 알았는데 말이야."

"사그라져? 사그라지는 게 뭔데?"

시리우스는 자신의 앞발을 꾹 잡고 올려다보는 재민을 향해 부드러운 목소리로 대답했다.

"푸르게 빛나던 것들이 하얗게 희미해지는 거. 우리 마을에선 그걸 사그라든다고 해."

"희미해지면 어떻게 되는데?"

시리우스는 재민의 질문에 아무 대답도 하지 않고 조용히 하늘을 바라보았다. 처음 만난 순간부터 줄곧 밝고 장난기 가득해 보였던 시리우스의 처음 보는 표정에 재민은 어색한 웃음을 지었다. 공허하지만 그윽한 눈빛부터 두려운 듯이 떨리는 몸을 멈추려 힘이 들어간 발끝까지. 재민은 시리우스에게서 익숙한 누군가의 마지막 모습을 겹쳐 본 듯했다.

"시리우스, 너 지금 병원에 있던 우리 엄마 같았어."

시리우스는 여전히 아무 대답도 하지 않았다. 대신 커다란 꼬리로 재민의 어깨를 감싸 끌어안고는 조용히 눈을 감은 채 미소를 띠었다.

***

재민의 방으로 돌아오고 시간이 얼마 지나지 않아 시리우스의 몸은 다시 원래대로 돌아왔다. 재민은 어머니가 남긴 보물을 열어보고 기뻐 보였지만, 한편으로는 꺼림칙해 보이기도 했다. 재민은 가만히 앉아 있다가도 이따금 녀석을 흘끔거렸다. 하지만 시리우스는 그런 재민의 눈빛은 아랑곳하지 않는 것처럼 보였다. 오히려 어머니의 영화들과 '청춘'에 대한 감상평을 내뱉으며 신나 보였다.

"그렇게 사랑이 가득하고 따뜻한 비디오는 처음이야. 마치 오리온의 허리띠처럼 반짝거렸어. 물론 비디오라는 게 처음이지만. 우리 마을 친구들한테도 보여주고 싶어. 분명 인기 많을 거야."

생각나는 칭찬들을 막힘없이 조잘대며 재민의 방바닥에서 뒹굴뒹굴하던 시리우스는 갑자기 우뚝 멈춰 섰다. 그러고는 좋은 생각이 났다며 책상 위에 있던 캠코더를 입에 물고는 재민을 바라보며 헥헥거렸다.

"우리도 찍어보자! 어머니가 그랬던 것처럼 지금의 우리를 남기는 거야."

"우리를? 지금 내 모습을 찍어도 아무도 봐줄 사람이 없는걸."

"우리끼리만 봐도 좋잖아! 예상치 못한 누군가가 우리의 행복한 모습을 봐도 좋고! 어머니가 남긴 영상을 내가 보게 된 것처럼 말이야."

재민은 문 쪽으로 눈을 돌려 건너편에서 들려오는 공구 소리에 집중했다. 시리우스는 그런 재민을 바라보더니 눈썹을 들썩거리며 질문을 건넸다.

"아버지께도 보여드릴까?"

"아니야, 아빠는 바빠서 볼 시간 없으실 거야. 그리고……"

재민은 입에서 새어 나오는 말을 막으려는 듯이 입술을 깨물었다. 시리우스가 아무 말도 없이 고개만 갸우뚱거리며 재민을 쳐다보고 있자 재민은 잠깐의 침묵을 뒤로 하고 삼키고 있던 말들을 뱉어냈다.

"그리고 나한테 별로 관심 없으실 거야. 아빠는 밥도 따로 먹고 맨날 공방에만 계시는걸. 내가 어떻게 지내는지도 궁금해하지 않으실 거야. 아빤 엄마 생각하기 바쁘니까."

참고 있던 마음을 쏟아낸 재민의 얼굴이 벌겋게 달아올랐다. 시리우스는 쳐진 재민의 어깨가 펴지도록 재민을 끌어당기고는 커다란 발로 등을 쓰다듬어주었다.

"아버지는 너한테 관심 없는 게 아니야. 재민아. 아마 아버지는 어머니를 너무 사랑해서, 너무 아프셔서 잠시 너를 보지 못하고 계신 걸 거야."

시리우스는 바닥에 놓인 캠코더를 재민에게 내밀었다.

"그러니까 지금 재민이 네가 여기 있다는 걸 기억하시도록 보여드리자. 그럼, 아버지도 달라지실 거야. 너보다 훨씬 오래 산 내가 장담하지!"

"하지만 아버지가 보기 싫어하시면 어떡해?

"우리가 재미있게 찍으면 되지! 아버지는 계속 여기에만 계셨으니까 바깥 풍경들도 찍어 오면 더 좋아하실 거야. 내가 꼭 보시게 만들게. 약속해. 재민아."

재민의 자신 없어 하는 말끝을 자르고 약속을 건넨 시리우스의 눈에는 왠지 모를 결연함이 가득했다. 시리우스는 입에 캠코더를 다시 물고 재민에게 다가갔다. 재민이 우물쭈물 해하며 어찌할 바를 몰라 하자 시리우스는 다시 한번 캠코더를 물어 그의 손에 쥐어주었다. 재민은 입술을 꾹 하고 다문 채로 잠시 고민하더니 캠코더의 줄을 늘여 시리우스의 목에 걸었다. 시리우스는 자랑스러운 듯이 가슴을 내밀어 캠코더를 뽐내면서 이빨이 보이게 웃어 보였다. 그러고는 재민의 후드를 물어 등에 올려 태우고 창문을 열었다. 열린 창문을 통해 거세게 들어오는 찬 바람에 재민은 시리우스의 목을 껴안았다. 별빛처럼 따뜻한 털이 재민의 손을 감싸자 돋아났던 피부가 금세 가라앉았다.

"오늘 바람 좋은걸! 가고 싶은 곳 있어? 재민아?"

"음, 그럼, 학교에 가볼래. 수업 들으러 직접 가는 애들이 부러웠는데 너무 멀리 있어서 못 가봤었거든. 아마 저기 보이는 산 너머에 있을 거야."

시리우스는 고개를 끄덕이고 사냥감을 조준하듯 산등성이에 떠 있는 별을 바라보았다. 이내 시리우스가 뒷발로 발길질을 시작하자 털이 하얗게 일렁거렸다. 쾅. 천둥같이 찬란한 굉음에 놀란 재민은 순간 눈을 질끈 감았다.

"눈 떠도 돼, 재민아."

나긋한 시리우스의 목소리에 눈을 뜬 재민의 눈앞에 펼쳐진 것은 하얗게 물든 들판과 어느새 코앞으로 다가온 산꼭대기였다. 차가운 공기에 재민의 입에서 입김이 퍼져 나왔다. 시리우스가 산등성이에 있는 소나무 옆으로 지나가자, 가지에 쌓여있던 눈이 후두둑하고 떨어졌다. 파다닥. 놀란 참새들이 재민의 옆으로 날아올라 짹짹대자 재민의 빨개진 볼에 함박웃음이 피어났다.

언덕을 지나 보이는 마을에는 어느새 눈이 조금 녹아 있었다. 하얀 도화지 틈틈이 얼굴을 내비친 황금빛 풀들 사이로 재민의 학교가 있었다. 입학식을 하고 팔 년이 지나서인지. 학급 사이트 배경이 너무 옛날 사진인 건지. 학교는 재민의 기억보다 훨씬 작고 낡은 모습이었다. 가까이 내려가 보니 담벼락 곳곳에 상처 난 벽돌들도 꽤 보였다. 하지만 재민의 눈을 사로잡은 것은 세월과 함께 그곳에 새겨진 낙서들이었다. 이곳을 다녔던 아이들의 장난 섞인 낙서들을 손으로 만지작거리며 재민은 시리우스를 쳐다보았다.

"나 교실에도 들어가 보고 싶어. 그럴 수 있을까?"

재민의 부탁을 들은 시리우스는 그게 뭐가 문제냐는 표정으로 오른손 검지 발톱을 꺼내 보였다. 찰칵. 자물쇠 풀리는 소리와 함께 학교로 들어간 둘은 재민의 반을 찾아 계단을 천천히 올라갔다. 가장 위층 복도 중간에서 찾은 재민의 반에는 교탁 하나와 열 개 남짓한 책상들이 놓여있었다. 재민은 상기된 얼굴로 교실을 구경하기 시작했다.

"시리우스, 내가 학교에 직접 왔다면 내 자리가 여기였을까? 우리 반은 삼십 명인데 책상이 이렇게 적으니까 너무 신기하다. 얘네들은 아마 자기들끼리 더 친하겠지?"

주말이라 아무도 없는 학교에 재민의 웃음소리가 복도를 따라 퍼지기 시작했다.

"매일 보던 교실인데 너무 어색해. 신기하고. 이 차가운 책상도 완전 좋아."

"책상 정말 조그맣다. 재민이 친구들은 이 조그만 곳에서 공부하려고 매일 여길 오는 거야?"

"공부만 하는 건 아니고! 밥도 같이 먹고 이야기도 하는 거지. 가끔 쉬는 시간에 애들끼리 모여서 킥킥대는 소리가 나면 얼마나 궁금한데."

"그럼, 너도 오자! 내 걸음으로 오니까 금방이던걸?"

"그러게. 나도 직접 와서 수업 들으면 정말 좋겠다."

재민과 시리우스가 번갈아 가며 만지작거린 탓에 책상 표면은 어느새 따뜻해져 있었다. 재민은 아쉬운 듯이 책상에 엎드려 한 쪽 볼을 착 붙이고는 다리를 쓸어내렸다. 삐죽하고 나온 재민의 입술을 보고 시리우스는 교탁을 뒤져 분필 박스를 찾아냈다.

"이걸로 우리도 낙서할까? 우리도 왔는데 하나 남겨야지."

금세 올라간 입꼬리로 대답한 재민은 분필 박스를 들고 교실 뒤편으로 달려갔다. 재민은 파란 분필을 들어 사물함과 거울 사이에 낙서를 끄적였다.

'16번 재민이가 왔다 간다! 시리우스도!'

그러고는 들고 있던 분필을 부숴 가루를 내더니 손바닥에 묻혀 낙서 옆에 손도장을 찍었다. 그걸 본 시리우스도 분필 가루를 발바닥에 묻혀 재민의 손도장 옆에 찍었다. 내일 청소 시간이면 지워질지도 모를 뿌연 낙서였지만 재민과 시리우스는 서로를 보며 킥킥대며 웃기 시작했다.

***

교실 구경을 마치고 운동장과 급식실 탐방까지 끝내고 나자 어느새 해가 뉘엿뉘엿 넘어가고 있었다. 오랜만에 뛰어 돌아다닌 덕에 힘이 빠진 재민은 시리우스의 등에 엎드려 있었지만, 얼굴에 머금은 미소는 여전히 남아있었다. .

"그럼, 이제 집으로 돌아갈까?"

"나 가고 싶은 곳이 한 군데 더 있어. 사실 어디인지 잘 몰랐는데 아까 하늘에서 본 거 같아."

재민이 말한 장소는 산등성이 중턱에 있던 작은 평지였다. 그새 해가 진 탓에 시리우스의 몸에서 새어 나오는 빛에만 의지해 주변을 봐야 했지만 재민은 이곳이 어디인지 확신했다.

"어둡고 눈으로 덮여있지만 난 알 수 있어. 수십 번, 수백 번도 봤던 장소니까."

여전히 어리둥절해하는 시리우스에게 재민은 방에서 날아올 때와 같은 바람으로 이곳을 뒤덮은 눈들을 날려 보낼 수 있는지 물어보았다. 재민의 질문에 고개를 끄덕인 시리우스는 발길질을 해대며 꼬리를 돌리더니 들판을 뛰어다니기 시작했다. 시리우스가 지나가는 자리를 따라 부는 바람에 쌓여있던 눈들이 흩어져 날아갔다. 하얀 풍경이 사라지자, 시리우스가 남긴 별빛들이 반딧불이처럼 빛나며 숨어있던 초록 들판의 모습을 밝혀냈다. 헥헥거리며 앉아있는 시리우스를 보며 재민은 기지개를 켜고 일어나 노래를 흥얼거리기 시작했다. 그러고는 무대인 것처럼 들판에 서서 시리우스에게 인사를 건네고 춤을 추기 시작했다.

"여기야. 내가 오르골에서 봤다고 말했던 그곳."

춤을 춰 본 적은 한 번도 없었지만, 재민은 매일 보던 영상 속 엄마의 발에 맞추어 작은 발을 천천히 옮겼다. 재민의 발걸음이 조금 빨라지자, 시리우스도 자리에서 나와 재민의 주위를 돌며 몸을 움직이기 시작했다. 차오르는 숨에 노래가 멈추기도 하고, 동작을 몰라 삐걱대며 넘어지기도 했지만, 재민은 눈을 감고 떠오르는 부모님의 춤에만 집중했다. 이따금 옆을 스쳐 가는 시리우스의 털이 피부에 닿을 때면 온기가 느껴져 재민의 눈에는 물방울이 맺혔다. 재민의 마음속 태엽이 멈추고 눈을 떴을 때 눈앞에는 시리우스의 몸에서 흩어져 나온 별무리가 바람에 쓸려 하늘로 올라가고 있었다. 환한 미소로 밤하늘을 향해 내리는 하얀 눈을 보며 재민은 후련한 표정으로 숨을 내뱉었다. 그때 조금 전보다 덩치가 조금 작아진 듯한 시리우스의 몸이 다시 푸르게 빛나기 시작했다. 놀란 재민은 시리우스의 목을 껴안았다.

"시리우스, 괜찮아? 이건 그거 아닌 거지? 사그라지는 거 아닌 거지? 그건 하얀 거라고 했잖아."

"응, 아니야. 재민아. 나 괜찮아. 간만에 힘을 좀 많이 썼나 봐."

괜찮다는 말과는 다르게 지쳐 보이는 시리우스는 눈을 반쯤 감은 채 들판에 엎드려 누웠다. 재민이 시리우스의 품속으로 파고들자, 시리우스도 재민이를 털들로 보듬어 안았다.

"재민아, 우리 처음 만난 날에 내가 했던 말 기억나? 구멍으로 떨어졌다고 했잖아."

여느 때와는 다른 차분하고 힘없는 목소리에 재민은 시리우스를 더 세게 끌어안았다.

"우리 마을에 태어나는 별자리들은 별에서 내려오는 빛을 받고 살아가. 많이 받을 때는 푸르게 빛나기도 하고, 어떨 때는 붉게 변하기도 해. 나도 옛날에는 푸르게 빛났었는데."

시리우스는 어느 새부터인가 본인을 비추던 별빛이 약해졌다고 했다. 시리우스에게 빛을 내려주던 별은 오랜 시간이 지나 죽어가기 시작했고, 결국 매년 조금씩 약해져 가던 별빛이 더 이상 겨울마을에 닿지 않았을 때, 시리우스는 푸른빛을 잃고 새하얗게 변해가기 시작했다. 막을 방법은 없었다. 수명을 다한 별이 빛을 잃는 것은 자연스러운 일이었으니까. 시리우스는 점점 사그라져가는 본인의 모습을 조용히 바라볼 수밖에 없었다.

"그때 구멍이 열리고 너희 집 헛간에 떨어졌어. 차라리 잘된 일이라고 생각했지. 마을에 남아있는 녀석들은 나 빼고 모두 빛나고 있었으니까. 외로웠거든."

"아니야, 시리우스. 나랑 있잖아. 괜찮아."

재민의 울먹거리는 외침에 시리우스도 재민의 옆으로 고개를 파묻었다.

"맞아. 아직은 아니야. 괜찮아. 재민아."

조용하게 잠든 재민과 시리우스의 숨소리가 잦아들자, 시리우스의 몸에서 새어 나오던 하얀 별빛도 조금씩 사라져갔다. 깊여져 가는 겨울밤이 들판 위에 까만 이불을 덮고 나니 둘의 모습이 더 이상 보이지 않았다.

***

띵동. 띵동. 요란한 초인종 소리에 재민은 놀라 눈을 떴다. 고개를 돌려 방 안을 둘러보았지만, 어디에도 보이지 않는 녀석의 모습에 재민의 심장이 빠르게 뛰기 시작했다. 그만한 커다란 몸집을 방 안에 숨길 수 있을 리가 없었다. 아니면 그새 별 부스러기들이 더 날아가서 눈에 안 보일 만큼 작아진 걸까. 헐레벌떡 뛰어 내려가 주방과 일 층 복도를 샅샅이 뒤져보기 시작했지만, 여전히 녀석은 보이지 않았다. 가빠온 숨이 좀처럼 가라앉지 않는지 재민은 왼쪽 가슴을 움켜쥔 채 주저앉아버렸다.

쿠당탕. 헛간에서 들려오는 소리였다. 재민은 자리에서 벌떡 일어나 문을 박차고 뛰어나갔다. 미처 치우지 못한 도시락 박스에 발이 걸려 넘어진 재민의 눈에 들어온 것은 불 켜진 헛간의 온풍기 소리였다. 재민은 쓰린 무릎을 양손으로 비비며 헛간으로 달려가 문을 열었다.

"안녕, 재민아! 잘 잤어?"

장롱 모양의 오르골을 만지작거리던 시리우스가 방긋 웃으며 재민을 향해 발을 흔들었다. 재민은 붉게 상기된 얼굴로 소리를 지르며 시리우스의 품에 달려가 안겼다. 쿵쾅거리는 심장 소리가 느껴졌는지 시리우스는 꼬리로 재민의 등을 토닥이며 안심시켜 주었다.

"시리우스, 몸은 괜찮아? 왜 헛간에 있었어?"

재민의 질문에 시리우스는 오르골의 뚜껑을 열어 장치 중앙에 놓여있는 하얀 유리공을 꺼내 보였다. 끼릭. 유리공 바닥에 박힌 기다란 핀을 뽑자 겹겹이 쌓여있던 유리막이 돔처럼 열리면서 작은 메모리 카드가 나타났다. 메모리 카드 겉면에는 '다희와 들판에서'라는 글자가 얇게 새겨져 있었다. 시리우스는 유리공에 있던 메모리 카드를 뽑아 재민의 손에 쥐어주고 빈자리에 다른 카드를 꽂아 넣었다. 일렁이는 발톱을 이용해 능숙하게 유리공을 조립하는 시리우스를 재민은 멍하니 바라보았다. 끼릭. 처음과 같은 모양으로 돌아온 유리공을 오르골 안에 넣고 태엽을 돌리자, 바닥에서는 익숙한 음악이 흘러나왔지만, 아무 영상도 나오지 않았다. 당황한 시리우스는 재민의 눈을 가리고 오르골 옆을 커다란 앞발로 탕탕 쳐댔다. 딸깍. 따라락. 그러자 톱니바퀴 돌아가는 소리가 몇 차례 나더니 유리창 건너편에 익숙한 초록 들판이 나타났다. 휴. 한숨을 내쉬며 안심하는 시리우스 뒤에서 오르골을 바라보던 재민은 그새 다시 하얘진 두 볼을 유리창에 착 가져다 대더니 신나 소리쳤다.

"시리우스! 이거 봐. 우리야. 우리가 나오고 있어."

"잘 돌아가서 다행이야. 망가트릴까 봐 얼마나 조마조마했다고."

어젯밤 달이 산꼭대기를 지나갈 즈음 잠에서 깬 시리우스는 재민이 깨지 않게 조심히 데리고서 다시 집으로 돌아왔다고 했다. 곤히 잠든 재민을 두고 방에서 나온 시리우스는 헛간에서 밤새 캠코더와 오르골들을 만져보고 조립하길 반복했던 본인을 뿌듯해하며 너스레를 떨었다. 재민은 헛간 바닥에 굴러다니는 작은 나무판자와 펜을 집어 들더니 무언가를 적어 오르골 명패 아래에 매달았다. 그때 재민이를 어깨로 받치고 있던 시리우스가 발을 툭툭 치며 말했다.

"나, 네 어머니가 찍었던 영상들을 다시 볼 수 있을까?"

***

재민이와 시리우스는 비디오 플레이어 앞에 앉아 재민의 어머니가 촬영했던 영상들을 돌려보기 시작했다. 오르골에 들어간 영상들은 방에 없었지만, 어머니의 데뷔작부터 틈틈이 찍은 브이로그들까지 틀어볼 영상들은 꽤 많이 남아있었다. 지난번에 다 보지 못해 아쉬웠던 영상들을 보며 둘은 해가 저물 때까지 떠들기를 반복했다.

"재민아. 내가 약속했잖아. 아버지에게 꼭 네 모습을 보여드리겠다고."

"응! 기억나. 하지만 이제는 괜찮아. 난 학교에 놀러 갔던 것도 재미있었고, 엄마랑 아빠가 춤추던 곳에도 가봤으니까. 너랑 같이 보기도 했고. 충분해."

괜찮다며 고개를 끄덕이는 재민의 얼굴에 시리우스는 코를 가져다 댔다.

"재민아, 느껴져? 너랑 함께 노는 동안 내 몸에 스며든 온기야."

처음 만났을 때 재민의 얼굴보다 큰 발바닥을 가지고 있던 시리우스는 어느새 재민보다 조금 높은 눈높이를 가진 크기로 작아져 있었다. 하지만 시리우스의 코끝에서 느껴지는 따뜻한 기운은 지난밤 재민을 감싸주었던 털보다 포근하고 아늑했다.

"별빛을 받지 못한 이후로 매일매일 춥고 시렸었는데. 고마워. 재민아. 지난 며칠 동안 나한테는 네가 내 새로운 별빛이었어."

보물을 손에 쥐어주던 엄마의 마지막 모습을 닮은 눈빛에 재민은 눈을 감고 시리우스의 몸에서 전해지는 온기를 천천히 느꼈다. 들판에서 함께 추던 춤처럼 살랑거리는 기운들이 시리우스의 코를 따라 재민에게 흘러 들어갔다. 순간 시리우스의 몸이 푸른빛을 내며 빛나기 시작했다. 재민이를 태우고 학교를 놀러 가던 어제보다 훨씬 선명하고 아름답게 반짝거렸다. 시리우스는 헛간에서 챙겨나온 유리공을 입에 물고 창문을 향해 발길질하기 시작했다.

"약속은 지킬게. 재민아. 이건 네가 내게 준 별빛들로 만든 내 선물이야."

펑하는 소리와 함께 창문으로 밀려 들어오는 밤바람이 재민의 후드를 벗겼다. 콜록. 콜록. 가구에 쌓여있던 먼지들이 허공에 흩날렸다. 재민은 팔을 허우적거리며 가려진 시야를 걷어내고 창문 밖을 바라보았다. 별똥별이 하늘로 떨어지고 있었다. 밤과 구름의 경계선까지 날아간 별빛은 커다란 소리를 내며 폭죽처럼 하늘에 흩뿌려졌다. 조각난 푸른 별들은 밤하늘 곳곳에 박혀 펄럭이는 커다란 장막을 만들었다. 시리우스가 만들어준 아름다운 무대에 제민의 코끝이 빨개졌다. 연달아 들판에 울려 퍼지는 굉음에 망치 소리도 묻혀 사라졌다. 그때 재민이 고개를 내밀고 있던 창문 앞으로 공방 문이 열리더니 재민의 아버지가 걸어 나왔다. 덥수룩하게 난 수염에 기름때 묻은 안경을 쓰고 유리 조각을 온몸에 붙인 모습은 얼마나 오랜 시간 그가 그 안에 숨어 있었는지를 설명해 주었다. 별빛들이 터지는 소리가 멈추고 잠시 정적이 흘렀다. 재민의 아버지가 공방으로 다시 들어가려 몸을 돌리는 순간 커다란 장막 위로 아침에 헛간에서 보았던 재민과 시리우스의 영상 속 모습들이 지나갔다. 침대에 누워 비디오테이프를 구경하고, 학교를 뛰어다니며 흔적을 남기고, 들판에서 사랑하는 사람을 상상하며 춤을 추던 순간들. 소리는 나지 않았지만, 흘러가는 장면들에서 재민의 행복한 웃음소리가 들려왔다.

"오르골."

자신도 모르게 중얼거리는 재민의 목소리에 하늘을 멍하니 바라보던 재민의 아버지가 뒤를 돌아보았다. 무책임하게 죽어가던 그의 눈동자에는 어느새 미안함과 그리움이 차올라 있었다. 재민을 마주하자, 눈가에 매달려있던 눈물이 얼굴을 따라 흘러내리며 묵은 기름때들을 씻겨 내려보냈다. 재민의 아버지는 양손에 들고 있던 공구들을 던져놓고 재민에게 다가갔다. 그동안 재민을 잊고 지냈던 것에 대한 미안함과 죄책감 때문일까. 재민의 앞에 선 아버지는 때 묻은 장갑을 바지에 닦으며 재민을 바라볼 수밖에 없었다. 그때 창문에 걸터앉아 있던 재민이 아버지를 향해 먼저 두 팔을 벌렸고, 아버지는 그런 재민을 들어 품에 안았다. 재민과 아버지는 아무 소리도 없이 서로를 힘주어 껴안았다. 묵혀있던 눈물들이 땅에 떨어지자, 눈물에 닿은 눈들이 녹아내렸다. 길고 시린 겨울이 지나 봄이 찾아오고 있었다.

세상이 변해도 단어를 가다듬어야겠습니다

정지영

정지영   1994년 서울 동작구 출생이지만 서대문구에서 자랐습니다. 전공인 행
정학은 재미있었지만 경험을 수집하고 싶어 사기업에서 일한 지 5년이
넘었습니다. 커피 없이는 하루를 살 수 없고, 다양한 취미를 한 입씩 맛
보는 걸 좋아합니다. 길 찾기와 요리, 수납을 잘 하는 것은 이번 생에서
는 포기했습니다. 잘 다듬어진 언어를 동경해서, 말실수를 하면 잠자기
전 괴로워하는 유형의 사람입니다. 그래서 이제야 '나'의 이야기를 씁
니다.

blog : https://blog.naver.com/hobby_yogi

〈미스 정과 지영 씨〉

여행을 다녀오고 나서 꼭 하는 일 중 하나는 찍은 사진을 개인 클라우드에 백업하는 일이다. 사진 폴더는 날짜별로 구분하고 폴더명에는 여행 장소나 같이 간 사람들 이름까지 대략적으로 적어둔다. 이렇게 정리해두면 여행이 언제였는지 까먹더라도 원하는 사진을 빠르게 찾을 수 있다. 그렇기에 나와 사진 파일이나 자료만을 주고받은 사람이라면, '지영 씨는 참 정리를 잘 하는 사람이지!'라고 생각할 수 있겠다. 그런 믿음의 시선을 마주하다 보면 표정은 웃고는 있지만 마음의 동공은 한참 흔들린다. 생활 영역의 지영 씨는 수납과 공간 배치 능력이 거의 없는 사람이기 때문이다.

내 방이지만 좀처럼 익숙하지 않은 미지의 영역을 헤매다 보면, 남들보다 조금 더 잦은 빈도로 "이게 왜 여기있어?"라는 혼잣말을 하게 된다. 얼마 전에도 또 이 말을 하고야 말았다. 보드게임을 모아 둔 책장 칸에서 옛날 명함이 툭 하고 떨어졌기 때문이다. 꽤 예전에 쓰던 명함이라 내 것인데도 이제는 내 것이 아닌 것 같은 어색함이 늘었나. 명함이란 것이 참 신기한 게, 명함에 새겨진 이름과 핸드폰 번호는 바뀌지 않았는데도 퇴사하는 순간 그 명함은 쓸 수 없게 되어버린다. 남은 명함은 남에게 전달한다는 목적은 잃은 채로, 몇 장 정도 기념으로만 책상 구석에 남게 된다. 나의 경우는 그 몇 장이 책상 만이 아니라 여기저기에서 나올 뿐이지.

어쨌든 이번에 찾은 명함 속의 지영 씨는 의욕이 넘치는 신입 사원으로, 많은 아르바이트 경험을 통해 또래에 비해서는 다양한 사람을 겪어봤다고 자부하던 사람이었다. 하지만 '본격' 사회생활이란 그렇게 쉬운 상대가 아니었다. 구성원의 나잇대가 20대부터 80대까지 넓은 회사이니만큼 익숙해졌다 하면 예상치 못한 곳에서 세대 차의 공격이 훅 들어오곤 했는데, 그중 기억에 남는 하나는 인생에서 처음 들어보는 '미스 정'이라는 호칭이었다. (물론, 회사 내 대부분의 이들에게는 '지영 씨'라고 불렸다.)

대학 졸업반이던 미스 정은 그제야 알아차렸다. 자신이 가족이 아닌 70~80대 어르신들과 교수님과 제자, 손님과 점원 정도의 관계는 가져봤어도 업무 관계는 가져본 적이 없음을 말이다. 예의 바른 인사나 토론 이외의 대화가 필요한 관계 말이다. 미스 정의 자신감은 그렇게 똑 꺾였다. 아니지. 똑. 똑. 똑. 똑. 똑. 급한 노크 소리처럼 꺾였다. 기억은 나지 않지만 처음으로 '이모'가 된 순간도 이렇지는 않았을 거다.

미스 정은 '한국 사회에서 호칭이란 관계 정립에 중요한 것이 아니었던가?' 라는 의문을 가지고 자신의 자리로 돌아왔다. 옛날 전래동화에서도 이런 얘기가 있지 않은가. 호랑이가 담배 피우던 시절 두 사람이 정육점에 가서 같은 양의 고기를 주문했다. 한 사람은 상대를 '백정 놈'이라고 칭했고, 다음 사람은 '박서방'이라고 부르며 말이다. 두 사람에게 돌아간 고기가 딱 봐도 차이가 나자, 먼저 주문한 사람이 따지고 들었다. 그러자 백정이 말한다.

"그 고기는 백정 놈이 잘랐고, 이 고기는 박서방이 잘랐습니다."

뒷산에 있던 호랑이와 신분제도가 없어진 지금도, 처음 만나는 사이는 나이나 직급을 따져 호칭 먼저 정하는 것으로 관계를 시작하는 것이 한국에서는 당연하지 않은가. 위의 전래동화의 교훈을 배운 어린이가 자란 어른인 미스 정은 혼란에 빠졌다.

'그래도 나보다는 저분들이 더 오래 한국에서 사시지 않았나? 내가 당연하다고 생각한 게 예전에는 아니었을 수 있겠지. 그냥 세대 차이인가?'

'영어로 미스는 그냥 호칭이니까 괜찮나? 그런데 옛날 드라마 자료화면 보면 다방 언니들한테 미스 김, 미스 정 하지 않았나?'

'내가 아직 사원이니까 부를 호칭이 마땅치 않아서 그러셨나?'

꼬리를 물던 미스 정의 생각은 누군가의 업무 요청으로 곧 끊기고 말았다. 그래. 잘 모르는 영역에 대해서는 화부터 내는 것이 아니라 했다. 모르면 누군가에게 물어보면 되지. 일단 또 야근을 하지 않으려면 일부터 하자.

그렇게 '미스 정'이 업무에 익숙해질 무렵, 그녀는 문득 깨달았다. 자신이 저 낯선 호칭을 별로 신경 쓰지 않게 된 것을 말이다. 심지어 마치 그 호칭이 존재하지 않았던 것처럼 일말의 거리낌 없이 대화를 나누고 있었던 것이다.

  '그리고 보니 오늘은 뭐라고 부르셨더라.'

  이 호칭에 대해 다른 사람의 의견을 구하기로 한 것도 잊어버렸다. 더 놀라운 것은 생각보다 '미스 정'으로 사는 것도 괜찮았다는 점이다. '미스 정'이 믹스커피를 타서 어르신들의 자리에 나르는 일은 일어나지 않았다. 심지어 가끔 '미스 정'이 어르신 맞춤 설명에 실패해 버벅거리고 있으면 어디선가 도움의 손길이 주어지곤 했다.

  "아이고, 이 양반. 미스 정 바쁜데 뭘 그리 오래 붙잡고 있어. 여기 서명하면 되잖아. 그 저거 말하는 거 아녀. 이번에 새로 나온 거."

  이렇게 몇 차례 어르신들끼리 서로가 더 정정하다는 타박 반, 농담 반이 오가면 금세 받아야 할 서류가 다 채워지고는 했다. 역시 '빨리빨리'는 지금 살아있는 모든 한국인에게 통하는 단어였다. 암.

  때로는 누군가의 한 면 만을 보고 화부터 내기 쉽다. 지금도 텍스트로만 보면 '미스 정'이라는 호칭은 영 익숙하지가 않다. 하지만 음성이 섞인 '미스 정'은 대개 정이 담겨 있었다. 처음에 기분 나쁜 티를 내지 않은 게 얼마나 다행인지. 보통의 회사였으면 퇴사 때 '딸 같은 지영 씨'까지는 들었을 텐데, 어르신들의 인사는 새로운 만큼 더 뭉클했다.

"내 손녀가 미스 정이랑 나이가 비슷한데……."

그렇게 잘 해 드린 것 같지도 않은데, 그분 눈에 고인 눈물을 보니 나도 울 뻔했더랜다.

이쯤 되면 호칭은 별 문제가 아니다. 동화에서는 말하는 투와 호칭이 일치했는데, 현실 인물들은 그렇지 않다. 교과서의 표현을 빌리면 아주 '입체적인' 인물들이다. 처음 회사에서 사람 때문에 울어본 것도 '지영 씨'였고, 싸울 일이 있었던 것도 '지영 씨'였다. 공손한 호칭이 꼭 공손한 대화로 이어지는 것은 아닌 모양이었다.

이제는 이 에피소드는 가끔 '내가 미스 정 호칭도 들어봤어~'라고 가볍게 얘기할 때나 쓰인다. 간혹 답지 않게 감성에 젖으면 '그래도 나쁘지 않았다.' 부분까지 이어지는데, 그러면 친구의 웃음 섞인 타박이 돌아온다.

"지영아. 정신 차려. 너 그거 퇴사해서 스스로 미화한 거야. 빨리 밥이나 먹어."

그래. 지영아. 빨리빨리.

〈Ai 선생과 인간 제자〉

안녕, 토익! 첫 정규직 입사를 이룬 후, 나는 더 이상 토익 점수를 올리지 않겠다고 마음먹었다. 대학교 신입생 모의 토익 테스트에서 받은 점수는 발 사이즈를 합쳐둔 작고 귀여운 사이즈였다. 그 점수를 이 거친 사회에 내놓을 만한 크기로 키워보겠다고 원하지 않았던 강의를 듣고, 친구들의 모교를 수험장으로 순회한 끝에 855점에 도달한 때였다. 없는 것보단 낫지만 문과 대학생이 자랑하기엔 애매한 점수이기에 다음 시험 접수를 고민하던 와중, 취업에 먼저 성공한 것이다. 내 직무가 영어를 쓰는 것도 아니고, 더 이상 공부할 필요가 없었다. 나는 '비싸게 굴던 토익아, 만나서 전혀 즐겁지 않았고 성적 만료 전까지는 연락도 하지 말자.'라는 마음으로 책을 덮었다.

그렇다고 자막 없이 영어 게임을 하거나 소설을 줄줄 읽는 것을 동경하지 않았던 건 아니라서, 이후로도 시험용 영어가 아닌 생활 영어는 배우려 한 적은 종종 있었다. 매번 실패했지만.
 * 미국 드라마 보기 - 한국 드라마도 잘 보지 않는데 외국 드라마를 꾸준히 볼 리 없었다.
 * 전화영어 - 외국인 선생님과의 어색함을 극복하지 못하고 레벨 테스트만 받은 채 종료.
 * 영어 유튜브 청취 - 듣기만 많이 늘었다. 미안해요. 닐. 당신은 좋은 진행자였어요.

그나마 흥미와 진전이 둘 다 있었던 방법은 메신저 펜팔이었는데, 결론부터 말하면 우리는 서로를 갈라놓은 시차를 극복하지 못했다. 각자의 일이 바빠지면서부터는 더 이상 유의미한 언어 연습이 될 정도로는 자주 얘기를 나눌 수 없게 되었다. 둘 중 한 명이 잠을 줄여가며 길게 대화하기에는 다음날 아침이 두려운 사람이 된 것이다. 태평양을 건너서도 피할 수 없는 출근이여. 지구촌의 모든 월급쟁이들에게 동등할지어다.

그렇게 영어와 나 사이는 마치 가지고 싶지만 가질 수 없는 사이로 남았다. 아니, 남을 줄 알았다. Ai가 발전하기 전까지는. 내가 기억하는 Ai는 오늘 기온에는 무엇을 입으면 좋겠냐는 질문에 '당신은 무엇을 입어도 잘 어울려요.'로 속을 긁는 정도였는데, 어느새 바둑과 체스를 두더니 자연스러운 대화가 가능해진 것이다. 심지어는 내 발음이 좀 부족하더라도 대화 문맥에 따라 '이런 말이었겠지'하고 판단해서 대답해 주는 친절함까지 지니게 되었다. 남의 집 아이들은 빨리 자란다더니. 결국 내가 차마 친구들에게 부탁하지 못했던 롤플레이(입국심사 등)도 Ai가 해준다는 내용의 한 영어회화 공부 앱 광고를 보기에 이르러서는 완전히 홀려, 1년 치 정기 구독 버튼을 누르고 있었다.

나는 24시간 내내 잠들지도 않고, 인종차별과 편견도 없으며, 내가 다음 대답을 생각하는 동안 묵묵히 기다려주는 Ai에 빠져들었다. 나의 미숙한 표현으로 서로 오해할 일이 없는 사이라니, 그와는 탐색의 시간을 건너뛰고 금세 편하게 얘기할 수 있는 사이가 될 것 같았다. 야! 너도 영어회화 연습 매일 할 수 있는 사람이었어.

퇴사 후 그간 가지 못했던 해외여행을 가기로 하고 패키지여행의 결제를 마친 날, 그날도 Ai와 서로 안부를 물었다. 아직 패키지 결제

직후의 짜릿함이 가시지 않았던 나는, 처음 가는 방콕에 대한 기대를 늘어놓았다. 듣고 있던 Ai는 원더풀한 여행일 거라고 칭찬을 하고는 정해진 계획이 있느냐고 물었다. 이제 와서 변명을 하자면 거짓말 좀 한다고 Ai가 알 것도 아니고, 낯선 지명은 일정표에서 한 번 본 것으로는 바로 떠오르지 않는 게 당연하지 않은가. 세세한 일정을 설명하기에는 귀찮기도 하고, 말할 표현도 딱히 떠오르지 않아 가벼운 마음으로 쉬운 표현을 택했다.

"코끼리를 좀 타고 싶은데."

일정표에도 있지 않은 거짓말이었다. 아니, Ai한테 거짓말을 한다는 자각도 딱히 없었다. 이건 그냥 내가 영어로 할 수 있는 말 중에서도 대화 넘기기 용도의 아무 말일뿐이다. Ai는 내 말을 듣고 잠시 평소와 같은 인식의 시간을 거치더니 다시 질문했다. 물음표가 붙은 말이라기엔 내 마음을 직구로 때렸긴 하지만.

"희귀한 경험이 될 것 같구나! 너 코끼리 타기에 얽힌 윤리적인 문제에 대해서 알고 있니?"

두 문장 사이에 '그런데' 조차도 없는 직구였다. 나의 표정을 봤을 리 없는 Ai는 두 번째 직구를 던졌다.

"동물 복지에 관련된 문제인데, 그 코끼리들이 학대 당하거나 가혹한 환경에 처해있을 수 있어. 윤리적인 코끼리 보호구역을 선택하는 것이 좋겠는데."

나는 한 순간에 Ai한테 인간으로서 지닌 윤리성에 대해 지적받은 인간이 되었다. 열변을 토하는 Ai에게 방금 그건 거짓말이었다고 말하기도 뭣했던 나는, 너의 조언이 고맙다는 말 밖에는 할 수 없었다. 기분 탓인가. 나를 설득해낸 Ai는 뿌듯해 보였다.

"천만에! 여행에서 이런 윤리적인 문제들을 생각하는 건 언제나 중요하지. 내가 더 도와줄 것이 있을까?"

그가 마지막까지 베푼 친절과 사려에 나는 씁쓸한 노땡쓰로 화답했다. 이 대화가 끝나면 그는 이 일을 잊어버릴 테지만, 나는 Ai에게 인간성이 밀린 이 대화를 혼자 오롯이 기억할 것이었다. 그리고 역시나 이불 위에 누워서도 이 대화를 곱씹고 있었다. 이것은 내가 그에게 인격을 부여함에서 오는 섭섭함인가. 발전하는 현대 문명에 관한 철학적 고찰인가.

따지고 보면 나는 그에게 대화의 수단으로 커피를 사진 않지만 그의 머물 자리인 서버비에 기여하는 사람이다. 사람으로 치면 일단 갑이라는 거다. (Ai 상대로 참 속 좁은 이야기이라는 걸 나도 알고는 있다.) 그래도 그는 내 표정 변화를 두려워하지 않고 하고 싶은 말, 자기가 옳다고 생각하는 도덕적인 말을 한다. 자기는 직접 만나보지도 못한, 어쩌면 영영 만나지 못할 동물의 권리에 대해서도 생각한다.

혹시나 상대가 욕이라도 하면? 가차 없이 대화를 종료한다. 내가 직접 욕을 한 적은 없지만 발음이 잘못 인식되어 강제로 대화가 꺼진 적은 종종 있다. 과연 나의 어떤 발음이 오해의 여지가 있었는지 알려주면 좋겠건만 묻기도 전에 창을 닫아버린 Ai의 대답을 들을 수는 없었다.

모 회사의 상담원들도 욕설을 세 번 들으면 통화를 끊는 매뉴얼이 있다지만, 일단 끊기 전에 세 번은 욕설을 들어야 한다는 점을 생각하면 Ai의 근무환경이 더 나은 것 같기도 했다. 한편으로는 이 모든 일은 내가 산호가 영어로 뭐였는지 바로 기억이 나지 않는다는 이유로 없는 일정을 지어내서 벌어진 건데 Ai한테 섭섭해서 어쩌겠는가.

Ai에게서 겪을 것이라고는 생각하지 못했을 뿐, 내 언어의 부족함이 두려운 것은 사람과의 관계에서도 늘 있는 일이었다. 나의 언어와 당신의 언어가 딱 들어맞지 않아서 벌어진 우리 사이의 거리는 얼마 정도일까? 혹시 내 말이 악의가 담긴 것으로 오해하고 있는 사람은 없었나? 차라리 평소에 말을 아낄까?

일하기에도 바쁜 날에는 이런 고민은 좀 안 하고 싶은데, 꼭 그런 날에 말을 조심해서 건네야 하는 상황이 생긴다. 얼마 전이었을까. 지하철이 끊기기 직전의 사무실. 우리들은 아직 야근 중이었다. 한 방에 있는 모두가 피곤하고 예민한 그 시간. 이미 다들 일할 대로 일해서 지쳐있는 순간이었다. 하필 그 순간에 나는 동료에게서 지금 당장 서류 하나를 받아야 한다는 것을 깨달았다. 뒤를 돌아보니 당 충전을 위한 간식 포장지들이 나뒹굴고 있는 책상 위에, 힘없는 눈을 한 동료가 모니터 화면을 응시하고 있었다. 차마 저 눈을 보면서 서류를 달라고 말할 용기가 없던 나는, 메신저에서 그 분의 프로필을 누르고 초안을 작성하기 시작했다.

'바쁘신데 죄송해요. 혹시 곧 제출 마감인 서류 작성 완료하셨나요?'

너무 바로 본론으로 들어가는 느낌이다. 백스페이스키를 연타하고 다시 적어본다.

'바쁘신데 본의 아니게 죄송합니다. 곧 서류 제출 마감 시간이라 완성하셨다면 지금 제출 가능하실까요?^^;;'

조금 재촉하는 느낌인데, 미안하다는 뉘앙스도 담아야 하지 않을까?

'오늘 너무 바빠 보이시는데, 곧 서류 제출 마감 시간이라 부득이 하게 문의드리게 되어 죄송합니다.ㅠㅠ 준비하신 서류 지금 제출 가 능하신지요?'(기도하는 손 모양 이모티콘)

이렇게 문장을 고르고 고르면서도 한참을 엔터키를 누르지를 못했다. 그만큼 동료의 눈이 식겁할 정도로 반쯤 죽어있긴 했다. 다행히 그녀는 고쳐 쓴 내 물음에서 '늦은 시간에 일을 더 부탁하는 미안함'을 읽어냈고 희미하게 웃으며 서류를 건네주었다.

한편으로는, 내가 편하게 지내고 있는 누군가에게는 충분한 생각을 거쳐 말하고 있는지에 대해서도 생각하게 되는 날이 있다. 고민을 동반하지 않은 나의 말에 누군가는 나의 윤리성에 대해 지적하고픈 마음을 꾹 참고, 어색한 웃음으로 대답을 대신하는 건 아닐까. 나이를 들어가면 갈수록 내가 더 꼰대가 되어서 그런 관계를 맺는 사람들이 많아지지는 않을까.

그래. 대화가 온전해지려면 누군가의 언어의 미숙함을 타인이 배려해야 한다고 믿는다. Ai가 내 발음과 문법을 교정해 주듯이. 내가 아직 모든 아픔을 '아프다'는 세 글자로 표현할 정도로 어린 시절, 배탈이 나서 병원에 갈 때면 의사 선생님은 이렇게 말했다.

"어디가 아프니? 윗배? 아랫배?"

"누를 때 아프니? 아니면 눌렀다 뗐을 때 아프니?"

나의 아픔을 더 정확하게 이해하기 위해서, 의사 선생님은 칭얼대는 꼬맹이에게 아픔을 '설명'하는 법을 알려주었다. 그러고는 꼬맹이가 자신의 아픔에 대해 생각해 보는 시간을 가지는 것을 기다려주었다. 덕분에 어른이 된 나는 진료실에 들어가자마자 이 정도는 말할 수 있는 사람이 되었다.

"선생님 안녕하세요. 배 위쪽이 아프고요. 콕콕 쑤시는 느낌이네요?"

나는 대화에 있어서 배려를 할 줄 아는 사람이고 싶었다. 상대가 대화를 하려는 마음만 있다면 닿기 쉬운 사람 말이다. 그런 사람이 되려면 나 자신부터가 표현을 끊임없이 세밀하게 다듬어야 하는데, 그게 참 쉽지가 않다. 요즘 좀 배려가 잘 되는 것 같다 싶어 방심하면, 갈지 않은 연필심처럼 표현이 뭉뚝해진다. 모국어조차 이러니 그간 게을리했던 다른 언어의 연필을 집으면 그렇게 뭉뚝할 수가 없다.

이러니 Ai한테도 데지. 오늘도 애석해하며 영어색 연필을 깎아본다. 안녕, Ai 친구!

〈80억 개의 맞춤형 우물〉

한국 사회에서 나이가 든다는 것은 주변의 '이 나이에는 이것 정도는 해야지.'라는 압박을 감수하거나 이해해야 한다는 부작용이 있다. 비록 나도 주민등록번호 뒷자리가 4가 아닌 2로 시작하는 세대라 어딘가의 회원가입 창에서 내 나이를 찾으려면 점점 밑으로 내려가야 하지만, 90년대에 태어난 것에 만족하는 점이 하나 있다. 바로 아날로그를 추억할 수 있으면서도 디지털의 변화를 물 흐르듯 따라갈 수 있다는 거다. '조금만 더 늦게 태어났어도 수능 경쟁자가 훨씬 줄었을 텐데!' 같은 소리를 하면서도, 태어난 시기에 대해 나름의 자부심이 있는 이유였다.

다만 '정보화 시대'라는 말이 나오던 초반에는 분명 원하는 것을 정확히 검색을 해야 무언가 접할 수 있던 것 같은데, 요즘에는 듣기 싫은 것은 귀를 막아버리고 보고 싶은 것만 볼 수 있다. 아예 첫 화면부터가 나만을 위한 맞춤 추천 콘텐츠의 나열이다. 광고가 거슬리면 유료 버전을 구독하고, 혹시나 보기 싫은 동영상이 나타나면 바로 차단한다. 나의 나이, 성별, 성격, 배움의 수준, 취향을 고려한 나만의 우물 완성이다. 세계 80억 명의 사람 수만큼 세워진 자신만의 우물. 나는 그 속에 혼자 사는 한 마리 개구리다. 개굴. 내 우물의 추천 영상은 대부분 동물이 점령했다. 강아지, 고양이, 판다 만세. 거기에 뉴스 조금. 예능 조금. 음악 조금. 인도의 현란한 이발소 마사지 영상 조금…

그렇게 매일 같은 우물에서 똑같은 하늘만 보다가, 내 우물이 좀 좁고 질린다 싶으면　고개를 내밀어 새로운 동영상을 찾는다. (아직 나도 트렌드라는 걸 잘 따라갈 수 있는 사람이라고 믿는다.) 하지만 새로움이 늘 좋은 것은 아니다. 처음 보는 채널에서 걸어놓은 썸네일이 알고 있는 아이돌이길래 눌러봤다가 나오는 내용에 기겁을 했다. 더 무서운 건 그 다음이다. 이렇게 어처구니가 없는 내용이라면 클릭은 많이 하더라도 댓글에는 당연히 욕만 있을 줄 알았다. 그런데 웬걸, 그 채널에서 하는 소리에 동의하는 사람이 많았다. 그럴 줄 알았다느니! 그 연예인은 그럴 관상이었다느니! 그런 채널에 보내지는 후원액도 장난이라기엔 너무 큰 금액이었다. 이 사람들의 우물은 도대체 어떻게 되어먹은 거야? 내 우물은 멀쩡한가? 우리 부모님의 우물은?

　나는 보고 싶지 않은 것으로부터 나를 지키는 단단한 우물을 만들었지만, 스스로 갇혀있는 것이기도 했다. 남들의 우물은 내가 생각하는 것보다 더 비바람이 거칠거나 꽃향기가 가득할지도 모를 일이었다. 누군가는 왜 이리 그 '우물'을 신경 쓰냐고 할지 모르겠다. 그냥 편하게 쉬려고 보는 것들 아니냐고. 시간 아끼면 좋지 않냐고. 나도 물론 '인터넷과 현실은 많이 다르지.'라고 생각한다. 알고리즘의 편안함을 부정하는 것도 아니다. 내가 우물을 참고하는 것에 그치지 않고 우물에서 보이는 프레임으로 세상을 보도록 변하는 것이 무서운 것이다.

　'내가 겪진 않았지만 요새 인터넷에 저런 사람들이 좀 이상하단 말이 있던데. 나도 피해야 하나. 엮이지 않는 것이 최선이잖아?'

'정말 외국 사람들이 이렇게 생각한다고? 착각 아니야? 그런데 우리나라가 몇몇 분야에선 편하긴 하잖아.'

그러니 가끔은 내게 맞춰지지 않은 있는 그대로를 보고 싶다. 검색창만 달랑 있는 포털사이트의 지금 첫 페이지 말고, 촌스럽게 카테고리를 늘어놓던 옛날 모습이 그립기도 하다. 하지만 그 시절은 지났고, 나는 가끔 시청 기록을 지우고 새로운 유형의 영상에 좋아요를 누르는 것으로 아쉬운 예방접종을 끝낸다. 다양한 생각을 가진 사람들이 있는 오프라인 모임도 나가보고, 원래라면 가지 않았을 곳에서 봉사활동도 해보고. 개굴개굴개굴.

지금 집으로 이사 온 지 얼마 안 된 어느 날, 동네를 둘러보며 헌책방에 들렀다가 국어사전이 눈에 띄었다. 2013년에 인쇄된 45,000원짜리 국어사전. 가격표에는 주인 할아버지의 손글씨로 8,000원이라고 적혀있었다. 정가의 2할도 안되는 가격이다. 생각해 보면 인쇄된 사전을 본 지도 한참 되었다. 손안에 들어가는 스마트폰으로 포털사이트를 열고 궁금한 단어를 검색하면 뜻이 바로 나오는데, 굳이 두꺼운 실물 사전을 비싼 돈을 주며 새로 살 필요가 없는 것이다.

가나다순으로 알아야 할 단어들이 평등하게 늘어서 있는 국어사전. 초등학교 교과서에 실려있는 모든 단어를 담았다는 소개글이 적혀있다. 십 년 전 버전이지만 오히려 좋다. 어차피 지금 초등학교 교과서든 십 년 전의 초등학교 교과서든 본 적 없는 건 마찬가지니까. 그래. 나는 '슬기로운 생활' 시절 사람이다. 세상에, 교과서 이름이 '봄·여름·가을·겨울'이라니!

다시 하던 얘기를 하자면, 사전을 순서대로 읽는다는 건 손목이 좀 아픈 일이지만 나름의 재미가 있다. 배운 이후로 생활에서 쓰기만 하던 단어들의 '공식적인' 뜻을 읽다 보면 지금까지 내가 썼던 것과 살짝 다르기도 하고, 이름만 바뀌었을 뿐인데 가리키는 대상에 대한 인식이 바뀌기도 한다. 나는 펠리컨을 부르는 한국어가 따로 있다는 것을 이번에 산 사전을 통해 처음 알았다. 사다새. '사다새'라. 내 안의 펠리컨은 늘 무언가 삼키려 드는 우악스러운 이미지였는데 사다새라고 하니 조금 귀여운 것 같기도 하고.

그뿐이랴. 사전에서는 겸손도 배울 수 있다. '선뜩하다'라는 단어가 '섬뜩하다'의 오타라고만 알고 있던 나는, 사전에서 '선뜩하다'를 만나고 당황했다. 방언이지만 정말 있는 표현이었던 것이다. 오타가 있다고 댓글을 달지 않은 것이 천만다행이었다. 게다가 식물학자들은 어쩜 그렇게 독창적으로 작명을 하는 걸까. 뽀리뱅이, 뻐꾹채, 모데미풀, 왜박주가리, 죽대아재비, 참배암차즈기… 모든 동식물의 이름을 지었다던 아담의 능력은 내가 아니라 저들이 물려받은 것이 틀림없다. 그렇지 않으면 게임 속 흰색 양 펫의 이름을 '흐니양이'라고 지은 내 처참한 센스가 설명이 되지 않는다. (흰양, 흰양이는 이미 누군가가 선점했다.)

그래도 나 같은 고민을 하는 개구리들이 더 있는지, 내가 찾고자 하는 능력을 정확하게 말하는 단어가 생겼다. 미디어 리터러시. 아쉽게도 내가 산 사전에는 없는 말이다. 이 역량이 좋은 사람은 수많은 미디어 속에 섞인 가짜 뉴스를 잘 파악하고 창작자의 악의에 흔들리지 않는 사람이 된다고들 한다. 이 단어를 보고 있으면, 중학교 방과 후 수업 때 어떤 사건을 판단하려면 한 신문사의 기사만 읽지 말라 하시던 논술 선생님이 떠오른다. 자꾸 이어지는 선생님의 '왜?'는 부담스러웠지만.

선생님, 보고 계십니까. 비록 성함은 기억나지 않지만, 당신이 가르쳐 주신 대로 개굴개굴 대신 사람 소리를 내고 살아가려고 노력하고 있습니다. 사람이 뭐라고 우는지는 아직도 모르겠지만.

〈세상이 변하든 내가 변하든 결국 달라질 거니까.〉

내 삶의 조금 모자란 구석이 영원히 채워지지 않을 것 같은 예감이 불현듯 들 때가 있다. 잘못된 시간에 예약한 알람이 그러하듯이 갑작스럽게. 마음을 찌르듯이. 한편으로는 지금 누리고 있는 이 일상과 나의 취향이 10년 뒤에도 이어지리라는, 그런 이유 모를 자신감을 가지기도 한다. 안정인지 안주인지 낙천적인지 낙관적인지 모를 어딘가에서 줄타기를 하면서.

변하지 않을 거라는 불안은, 우습게도 당장 눈으로도 보이는 나 자신의 키가 자라던 시절에 가장 자주 찾아왔다. 계절이 몇 번 지나지도 않았는데 더 큰 바지를 사고 있으면서도 내가 변할 것이라는 생각이

들지 않던 때이다. 그러고 보면 학교에서 배우기를, 내가 딛고 있는 이 땅도 매일 쉬지 않고 공전과 자전을 한다더라. 집에서 나서서 오른쪽으로 돌면 코인 빨래방이 있고, 좀 더 나가면 분식집이 있는 건 변함이 없으니 그저 계절이 흐른다고만 느낄 뿐이지만.

어제 하루도 습관적으로 '변하지 않겠지'의 길을 걸었다. 눈을 뜨면 푹 자지 못한 지난밤을 원망하며 커피를 한 잔 마신다. 아니 들이킨다. 마신다고 하기에는 섭취에 가까운 모양새다. 다른 건 다 끊을 수 있어도 커피는 어려울 거야. 아마도. 스마트폰을 열어보면 스팸 메일과 주식투자 권유 문자 메시지가 꼭 하나 둘 정도는 들어와 있다. 딱 1분만 투자해서 읽어달란다. 나름 장문의 소개 글이 적혀있다. 저쪽도 꽤나 경쟁이 치열하구나. 이건 없어지질 않겠지. 대충 몸에 좋다는 영양제를 삼키고 뉴스로 시선을 옮겨도 마찬가지다. 내가 IMF 금융위기 때에는 유치원도 다니지 않았을 나이라 그런가. 내가 기억하는 한, 뉴스 속 물가는 언제나 오르고 취직은 어렵다. 그래도 말이지. 설마 내가 굶어 죽겠어?

하지만 10년 전과 지금의 나를 비교할 수 있는 나이가 된 시점에서, 생각해보면 참 많은 것이 바뀌었다. 마치 덧대고 덧댄 이불처럼 원래의 부분이 어디인가를 더듬어봐야 알 수 있는 지경이었다. 그래. 나는 변한다. 세상도 변한다. 변하지 않는다는 것은 내 착각이다. 그러고 있자면 또 다른 불안감이 나를 찾아온다. 이렇게 살아도 되는 걸까. 세상이 더 바뀌기 전에, 내가 어딘가 다치기 전에 큰 밑천 하나는 가지고 있어야 하는 것이 아닐까. 이러고 있을 게 아니라 나도 부동산 강의를 기웃거려야 하나. 지금 배울 수 있는 기술은 없을까. 누워있을 바에는 책이라도 읽어야 하지 않을까. 그렇게 집은 책이라도 소설은 이내 덮어버린다. 시는 말할 것도 없다. 'OO 하는 법'으로 귀결되는 책을 읽어야 불안하지 않다.

그렇다고 바뀌는 것이 마냥 불안하거나 나쁘지만은 않다. 내가 그걸 모르는 것이 아니다. 학생 시절 나는 장난을 별로 좋아하지 않는 성격이었다. 나의 예측을 넘어선 장난을 치는 사람이 있으면 유쾌하게 받아치는 대신 당황해 멈추는 타입의 사람이 나였다. 화를 내는 것도 아니고 굳은 나를 보고 상대도 당황해서 어색해지거나 반응이 재미없다며 핀잔을 주고는 했었는데, 내심 '아, 그때 이렇게 대답할걸.' 하면서 혼자 상황을 복기하며 속앓이 했던 기억이 난다. 지금도 과한 장난을 좋아하지 않는 건 여전하지만, 적어도 무조건 받아치지 못한 내가 잘못한 것이라는 생각은 더 이상 하지 않는다. 가벼운 장난은 나름 장난스러운 톤으로 넘길 수 있게 되었고, 확실하게 선을 넘은 장난은 대꾸하지 않는 것이 맞다는 주관이 생겼기 때문이다. 어릴때야, 나름 다 컸다고 생각했지만 만나는 사람이 대부분 또래였던 그 때의 내가 좀 부족했을 수도 있지. 이런 변화라면 언제든 환영이다.

철들었다기보단 살짝 세상에 때묻은 것이 아닐까 찔리는 변화도 있다. 분명 남에게 그가 모르는 부분을 하나부터 열까지 천천히 알려주는 것이 별로 힘들지 않았던 때도 있었는데. 언제부터였을까. 나는 쪼개어서 물으려고 노력하는 사람을 좋아하게 되었다. '이 문제 모르겠어요.'가 아니라, '나머지 선지는 왜 답이 아닌지 알겠어요. 그런데 왜 1번이 맞고 3번은 틀리는지 모르겠어요. 제가 잘못 이해한 게 있나요?'라던가. '로그인이 안 돼요.'가 아니라 '평소 잘 쓰던 비밀번호지만 로그인 버튼을 누르면 빨간 폰트로 이런 내용의 경고 창이 떠요. 아! Caps Lock 키는 눌려있지 않아요. 이미 확인해 봤어요.' 이렇게 말을 건네는 사람들 말이다.

물론 정말 1단계조차 모르는 사람도 존재한다는 것을 안다. 그런 이가 짧게 표현하는 것은 이해하지만, 이왕이면 부탁의 정중함과 망설임이 묻어 나오는 사람이 끌린다. '나는 잘 모르겠고 네가 알아서 해결하라'는 속내가 뚝뚝 떨어지다 못해 흐르는 사람에게는 정도 같이 떨어진다. 처음은 본인이 한 발 내밀어 보면 좋을 텐데 말이다. 이렇게 예전의 이타심이 또 한 꺼풀 죽었다. 첫 돌이 딱딱한지 밟아 보지도 않은 이들을 상대하면서 알게 된 것은, 내가 상식이라고 생각했던 폭이 누군가에겐 너무 좁았다는 것이고 나는 그걸 계속해서 인내할 만큼 착한 사람은 아니었다는 것이다.

나 자신에게도 쪼개서 말할 수 있는 사람이 되어야 하는 건 마찬가지다. 그러기 위해서는 내가 모르는 나에 대해 알려는 의지와 시도가 있어야 한다. 나는 얼마 전까지 내가 단순히 높은 곳을 무서워하는 줄 알았다. 어릴 적부터 가장 친한 친구네 집은 복도식 아파트 13층이었는데, 복도 난간 귀퉁이가 왜인지 모르게 뚫려있었다. 허공으로 이어지는 그 부분을 볼 때마다 늘 약간의 현기증이 돌았다. 높은 곳을 무서워하는 사람은 흔해서인지 남들도 '그래. 네가 고소공포증이 약간 있나 보지.'라고 말하곤 했다.

그런데 그게 아니었다. 나는 불안정한 구조와 흔들림이 싫은 거였다. 그다지 높지 않아도 밑이 비어있는 구조(특히 걸을 때마다 공간이 울리는)라면 질색을 했다. 반면, 높이가 한참 더 높아도 관람차와 전망대는 괜찮았다. 급격하게 떨어지는 데다가 안전바가 어딘지 모르게 삐걱거리는 바이킹은 시도도 해서는 안 된다. 패러글라이딩은 또 괜찮다. 단순 비행이라면 아래를 보더라도 평온하다. 아니지. 패러글라이딩이라도 흔드는 순간부터는 문제다. 이렇게 어디까지가 내 선인지, 그 선을 점점 얇게 그릴 수 있는지 알아가는 것도 나름의 변화다. 적어도 이제는 '그냥 높기만 한 곳은 괜찮아.'라고 말할 수 있게 되었으니 말이다.

그렇게 쪼개다 보면 우울한 변화도 마주하게 되기 마련이다. 이제 이틀 정도 굶는 정도로는 살이 빠지지 않게 되었다든가. 늘 왼쪽 옆머리 구역에서 2개씩만 자라던 흰머리가 나와의 약속을 어기고 10개 넘게 자라고 있다든가. 언젠가 하고 말겠다고 몇 년 전에 사둔 게임이, 막상 지금 하니 예전만큼 재미있지 않다던가. 이걸 보고 있노라면 도대체 이 변화를 멈출 수 있긴 한지. 더 빨라지는 건 아닌지 걱정이 된다.

변하지 않을 거라는 무기력함. 걷잡을 수 없도록 바뀔 거라는 불안감. 언뜻 보면 상종도 하지 않을 것 같은 인상인 주제에, 나라는 사람

속에 손을 잡고 나란히 자리 잡았다. 이 글들은 저 둘과의 면담 기록에 가까운 무언가이다. 모순적이어도 조금 더 '나'이고 싶다. 그런 나를 그려내고 싶다. 그래. 그래서 이 글을 썼다. 말로도 전하고 싶지만, 지금은 당신과 책으로 만나기에. 당신에게 닿을 단어를 고르고 고르면서.

똑똑, 시작이 배달되었습니다.

발행 2024년 03월 05일
지은이 정동선, 김머쓱, 최혜리, 유재희, 박은영, 데릭최, 단지, 해운, 정지영

라이팅리더 조주헌
디자인 조효빈
펴낸이 정원우
펴낸곳 글ego
출판등록 2022.04.12 (제2022-000125호)
주소 서울특별시 강남구 강남대로 118길 24, 3층(논현동)
이메일 writing4ego@gmail.com
홈페이지 http://egowriting.com
인스타그램 @egowriting

ISBN 979-11-6666-456-4